D0331615

Olivia Rosenthal

Que font les rennes après Noël?

Gallimard

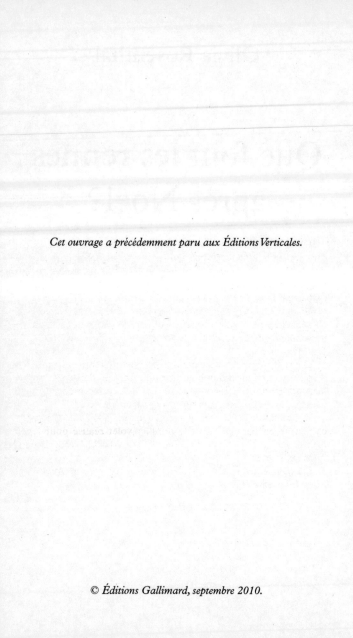

Cet ouvrage a précédemment paru aux Éditions Verticales.

Olivia Rosenthal a publié huit fictions aux Éditions Verticales, qui mettent aux prises des personnages obsessionnels, inquiets, décalés, avec un monde dans lequel ils ne se reconnaissent jamais tout à fait. *Mes petites communautés* (1999), *Les sept voies de la désobéissance* (2004), *Les fantaisies spéculatives de J. H. le sémite* (2005) ou *On n'est pas là pour disparaître* (2007, prix Wepler) s'attachent aux formes étranges que prend la pensée d'un personnage quand, incertain de son identité, il est entièrement livré à lui-même.

Olivia Rosenthal a également expérimenté d'autres formes d'écriture : fictions radiophoniques ou pièces de théâtre. C'est dans cet esprit qu'elle s'est engagée dans des performances où elle dit des textes grinçants sur nos folies ordinaires.

Depuis 2008, elle s'est engagée dans un projet sur l'«architecture en paroles» dont le premier volet réalisé pour le CentQuatre a fait l'objet d'un récit, *Viande froide* (Nouvelles Éditions Lignes).

Que font les rennes après Noël? (Verticales) a reçu le prix du Livre Inter en 2011.

à Phu Si
qui ne s'est pas pendu dans sa chambre

I

Vous ne savez pas si vous aimez les animaux mais vous en voulez absolument un, vous voulez une bête. C'est l'une des premières manifestations de votre désir, un désir d'autant plus puissant qu'il reste inassouvi.

Tigrons, léopons, pumapards, jaglions, tiguars, jaguleps, léoptigs, tiglons, liards, léonards sont non seulement des mots rares mais aussi des êtres de chair et d'os, nés dans des animaleries sous la surveillance et avec l'aide de chercheurs déterminés à assurer la survie des grands prédateurs. Ces animaux étranges ne peuvent être véritablement considérés comme sauvages, puisqu'ils n'existent pas à proprement parler dans la nature et n'appartiennent à aucune espèce répertoriée. En conséquence, on a sans doute le droit d'en faire légalement l'acquisition. Il faut savoir cependant que l'on met sa vie en péril en accueillant chez soi l'un de ces spécimens, d'autant que de savantes études ont montré que les rejetons inter-espèces sont sujets à de fréquents et graves troubles mentaux.

On vous a raconté que vous ne vouliez pas sortir du ventre de votre mère. Il y a même des clichés qui vous montrent assise fièrement entre les jambes de votre génitrice, tête en l'air. La position dite du siège serait la première manifestation de votre volonté.

On peut se demander ce que signifie «trouble mental» pour un individu issu de l'accouplement d'un tigre et d'une lionne, d'une tigresse et d'un lion, d'une lionne et d'un léopard, d'un léopard et d'un puma, d'un jaguar et d'une léoparde et autres combinaisons multiples pour lesquelles on pourrait, si nécessaire, inventer de nouveaux noms. Des observateurs en contact quotidien avec ces bêtes ont peut-être noté chez elles des tendances anormales à la docilité, ce qui expliquerait qu'elles soient classées parmi les animaux domestiques et qu'on puisse, de ce fait, les accueillir sous son toit. Avec les hybrides, tout est possible.

On vous a aussi raconté que vous étiez un bébé magnifique, au crâne régulier, au visage souriant et rond sans doute parce qu'on vous avait sortie par césarienne, vous épargnant ainsi le moindre effort physique. Selon la légende familiale, votre docilité naturelle aurait donc été le résultat de votre paresse.

Pour savoir quel animal on a le droit de posséder ou d'apprivoiser, il faut consulter les lois, codes, décrets, arrêtés qui distinguent les espèces, races ou variétés d'animaux domestiques, les espèces sauvages, les espèces menacées d'extinction, les espèces sauvages menacées d'extinction, les espèces protégées, les espèces considérées comme dangereuses, les espèces dangereuses et protégées.

Vous n'aimez pas les animaux sauvages, vous préférez les animaux familiers, ceux qui vivent avec les humains et dans leur famille, c'est ceux-là que vous voulez.

Grâce aux textes de loi, chacun peut savoir s'il commet ou non une infraction en détenant chez lui un boa constrictor, une punaise, une grenouille rieuse de la race Rian 92, un singe laineux à queue jaune, un ours à collier ou un guépard (*Acinonyx jubatus*), compagnon si doux dans son très jeune âge qu'il saute sur votre lit et vous lèche la face avant de se coucher à vos pieds. Pour distinguer le sauvage du domestique, la douceur n'est pas le critère décisif.

Vous avez longtemps cru que votre mère avait vu *Rosemary's baby*, le film de Roman Polanski, alors même qu'elle était enceinte de vous. Quand, des années plus tard, vous avez vu le film, vous avez imaginé les angoisses terribles qu'elle avait dû éprouver en attendant un bébé qui aurait pu naître homme ou bête.

Est-ce qu'on peut aimer ce qu'on ne connaît pas, ce qu'on n'approche pas, ce qu'on ne perçoit pas, ce qu'on ne touche pas, ce qu'on imagine? L'imagination était-elle le substrat de l'amour?

Durant les toutes premières années de votre existence, malgré votre docilité et la parfaite régularité de votre crâne, vous avez tendance à mettre votre vie en danger en secouant violemment votre berceau ou en hurlant avec véhémence. De cette période, où vous vous manifestez avec une liberté qui s'est perdue par la suite, vous ne gardez aucun souvenir.

Dans certaines louveries, où les bêtes dressées vivent derrière des grilles et hurlent à la moindre incursion d'un hôte étranger, on trouve à la fois des loups et des «hybrides». Ce mot, employé par les dresseurs pour rassurer les visiteurs et atténuer l'apparente férocité de ces animaux, n'a pas toujours l'effet escompté.

Dès l'âge de trois ans, vous avez réclamé un animal familier qui vous éloignerait un peu de la compagnie des hommes. Vous avez compris que votre ours en peluche n'était pas un être vivant. L'embrasser, lui tirer les oreilles ou lui arracher les poils n'offrait donc que des plaisirs médiocres.

Tout le monde aime les ours en peluche. Et beaucoup aiment aussi les animaux. Il n'y a que ceux qui les utilisent, en vivent, les élèvent, les capturent, les vendent, les chassent, les tuent, qui ne parlent pas d'amour. L'amour, quand il s'agit des bêtes, est un luxe qu'on peut ou non s'offrir. Tout le monde n'a pas la chance de pouvoir aimer les animaux.

Vous avez envie d'avoir de la chance, vous avez envie d'être comme tout le monde, vous avez envie de dire j'aime les animaux. Parce que si on dit ça, on n'a besoin d'aucune explication, l'amour se suffit à lui-même et nous exonère du reste. Vous aimez les animaux.

Dès l'âge de trois ans, vous avez réclamé un animal, une petite boule de poils qui serait entièrement sous votre coupe, en votre possession, sous votre contrôle, entre vos mains, en votre pouvoir, à vous. Vos parents vous l'ont refusé, estimant que vous seriez incapable de vous en occuper, qu'ils seraient contraints de faire le travail à votre place, et vous avez pressenti sans pouvoir l'expliquer qu'il y avait des causes plus profondes à ce refus catégorique.

Les espèces animales non domestiques sont des espèces qui n'ont pas subi de modifications par sélection de la part de l'homme. À l'opposé, les espèces domestiques ont fait l'objet d'une pression de sélection continue et constante. Cette pression a abouti à la formation d'une espèce, c'est-à-dire d'un groupe d'animaux qui a acquis des caractères stables, génétiquement transmissibles, et qui ne peut former de manière naturelle des produits fertiles avec d'autres espèces.

Rosemary's baby raconte l'histoire d'une femme qui fait d'horribles cauchemars durant toute la période de sa grossesse. Comme elle n'arrive pas à se souvenir exactement des circonstances qui ont conduit à la conception de son enfant, elle finit par se demander si son mari ne l'aurait pas droguée pour la livrer à une horrible bête avec qui on l'aurait accouplée. Vous aimeriez savoir quel effet le visionnage de ce film a pu avoir sur la gestation de votre mère.

Dans le vocabulaire juridique, «produit fertile» désigne une bête juste née, issue de la copulation entre deux autres bêtes, appelées par anthropomorphisme «parents». Quand il n'y a pas de parents, c'est qu'ils ont été tués ou capturés par des prédateurs, humains compris. Il arrive également, pour de très nombreuses espèces, que l'animal soit abandonné à la naissance par ses dits parents, soit en raison de sa non-viabilité ou vulnérabilité excessive, soit au contraire qu'il possède de manière innée et dès le plus jeune âge les qualités nécessaires à son indépendance et à sa survie.

Les animaux laissés à eux-mêmes dans la nature doivent-ils être considérés comme abandonnés ou juste comme indépendants? À moins que l'abandon ne soit la condition même de l'accession à l'indépendance.

Comme beaucoup d'enfants, vous avez envie, plus encore que d'acheter un animal domestique, de recueillir une bête née dans la nature et abandonnée par ses géniteurs. Votre père vous réprimande vertement chaque fois que vous manifestez ce désir. Vous ne comprenez pas sa colère. Vous insistez.

En France, jusqu'à la loi 76-629 du 10 juillet 1976, qui introduit les idées de patrimoine naturel et de préservation des espèces, la faune et la flore étaient considérées comme *res nullius,* c'est-à-dire comme n'appartenant à personne. Quand quelque chose n'appartient à personne, chacun est en droit de se l'approprier. Une fois qu'il en a pris possession, le propriétaire est responsable de sa propriété, comme indiqué dans l'article 1385 du code civil. «Le propriétaire d'un animal, ou celui qui s'en sert, pendant qu'il est à son usage, est responsable du dommage que l'animal a causé, soit que l'animal fût sous sa garde, soit qu'il fût égaré ou échappé.»

En raison de la loi, dont ni votre père ni votre mère ne connaissent les termes exacts mais qu'ils allèguent par intuition, vous ne pouvez recueillir aucune bête, abandonnée ou non. Si vous le faisiez, vous seriez ensuite responsable d'elle, ce dont on vous estime incapable. À l'âge de quatre ans, il n'y a en effet aucune responsabilité qui tienne.

Le monde est un tissu de mots, nous sommes tout entiers protégés et maintenus en vie par les moyens à la fois coercitifs et maternels du texte.

Vous avez besoin de vos parents, vous pouvez mourir en dormant, en avalant de travers, en mettant les doigts dans les prises, en renversant une bassine d'eau chaude, en manipulant des objets contondants, en basculant d'une fenêtre ouverte, en tombant dans une piscine, vous êtes en péril, on doit jour et nuit veiller sur vous, les accidents sont si vite arrivés, vous êtes sous la surveillance attentive de vos parents.

Les louveries sont en général installées loin des villes afin que les hurlements des loups ne gênent pas les riverains. En revanche, les dresseurs doivent habiter à proximité immédiate des chenils, d'une part pour contrôler les allées et venues de leurs bêtes, d'autre part parce que tout dressage exige de garder le contact avec ceux et celles qu'on est censé dresser.

Les hurlements que vous poussez dans les premières années de votre vie n'ont laissé aucune trace dans votre mémoire. En revanche, vous avez un souvenir très précis de la peur qui se lisait dans les yeux de votre mère quand vous marchiez à quatre pattes sous le lit ou tentiez de vous cacher pour échapper à son regard.

Il n'y a pas d'animaux sauvages, il n'y a que des animaux protégés.

Vous n'avez aucune expérience des animaux, aucun contact avec eux. Vous les voyez parfois dans des films extrêmement élaborés qui zooment avec virtuosité sur les gueules, les yeux, les touffes de poils, les museaux, les langues, les oreilles, les dents, mais qui du coup vous font perdre l'essentiel, la sensation et l'échelle. Vous perdez l'échelle, vous perdez l'odeur, vous perdez la crainte, vous perdez le sens de la comparaison et de la différence, vous vous confinez, vous vous séparez, vous vous mettez avec ceux que vous connaissez, vous êtes entourée par vos semblables. Au lieu d'être entourée par les animaux, vous êtes entourée par vos semblables.

Je ne connaissais rien aux fauves, je grattais des coques, je mettais en place des blocs de roche au fond de l'eau, j'étais scaphandrier. Je passais à peu près six ou sept heures dans la flotte, j'en avais plus que marre, et un jour un gars que je connaissais m'a proposé de travailler avec des félins. J'ai passé des tests la semaine suivante, j'ai été pris, j'ai commencé comme soigneur dans un zoo sous la direction d'un dresseur qui me montrait comment procéder et, au bout de six mois, faut croire que j'étais doué, le chef m'a dit cet après-midi tu enlèves ta blouse et tu prends le fouet, tu mets ta main sur mon épaule, tu me suis comme mon ombre, tu es mon ange gardien mais tu ne mouftes absolument pas, on va entrer tous les deux dans la cage.

Vous aimez les animaux et vous aimez aussi votre mère. Pourtant, votre mère, elle, n'aime pas les animaux. Vous lui demandez pourquoi, pourquoi n'aime-t-elle pas les animaux, tout le monde les aime, pourquoi n'est-elle pas comme tout le monde, vous aimeriez, vous, que votre mère soit comme tout le monde, qu'elle soigne de petits oiseaux juste tombés du nid, qu'elle leur apprenne à voler, qu'elle récupère les chiens abandonnés dans les bois, qu'elle nourrisse les chats errants, qu'elle ramasse les hérissons et blaireaux sur les routes, qu'elle donne le biberon aux faons dont les parents auraient été tués à la chasse, mais votre mère ne l'entend pas de cette oreille, elle a suffisamment à faire avec ses propres enfants sans prendre en charge aussi toutes les souffrances du monde, et si elle était comme vous dites, elle ne serait pas votre mère, celle que vous aimez par-dessus tout en dépit même de son indifférence à l'égard des bêtes, elle ne semble pas ébranlée par votre demande, son assurance est telle que vous croyez qu'elle a raison, vous aimez les animaux mais vous préférez votre mère.

Y a pas de mystère, pour avoir de bonnes bêtes, il faut les élever toutes petites. Ça dépend un peu du bénéfice qu'on veut en tirer mais pour les faire travailler, il faut les retirer très vite de la mère et les biberonner soi-même.

Enfant, vous ne vous demandez pas quel métier vous ferez, quelle vie vous mènerez, dans quel lieu vous habiterez, quels amis vous aurez, à quel âge vous mourrez, quels amoureux vous éconduirez, votre mère vous tient lieu de vie, de métier, de lieu, d'ami, d'amoureux et de tout le reste.

Dans le *Code Justinien*, on apprend que les choses qui ne sont la propriété de personne, et qui sont de droit humain, peuvent s'acquérir par occupation ; telles sont les bêtes farouches, les poissons et tous les autres animaux qui vivent dans l'air, sur la terre ou dans la mer ; car la raison naturelle veut que ce qui n'appartient à personne appartienne à celui qui s'en empare.

Dans les premières années de votre vie, vous pensez que vous êtes la propriété de votre mère. Parfois, vous le regrettez.

Au début, comme je ne pouvais pas avoir des loups parce qu'il faut passer le certificat, j'ai commencé avec un chien de berger, j'étais chasseur alpin, je faisais du sauvetage en montagne. Et après je me suis procuré des chiens-loups tchèques, des hybrides très résistants et féroces qui à l'origine ont été sélectionnés pour garder les prisonniers dans les goulags et qui sont dressés pour attaquer ceux qui chercheraient à sortir du territoire.

Vous ne cherchez pas à sortir du territoire. Depuis que vous avez appris à marcher, vous vous pliez presque sans broncher aux souhaits de vos parents, vous êtes d'une rare docilité, d'une rare gentillesse, d'une rare tendresse mais vous insistez maladivement pour obtenir la présence à vos côtés d'un animal. Vos parents vous opposent une fin de non-recevoir. Vous décidez, à votre manière, de leur tenir tête.

Pour les espèces canines et félines, il existe un livre généalogique unique où toutes les races et tous leurs représentants sont répertoriés et décrits. Ce livre, divisé en autant de sections que de races, a été rédigé par des associations agréées qui définissent les standards de chaque race et, selon un certain nombre de critères à la fois physiques et comportementaux, classent les spécimens qui leur sont soumis dans telle ou telle section. Pour faire inscrire son chien ou son chat sur le livre, il suffit de prouver que ses deux géniteurs sont eux-mêmes inscrits. Si ça n'est pas le cas, il reste la possibilité de faire passer à son animal une épreuve appelée épreuve de confirmation. Lors de cette épreuve, le candidat est présenté aux associations et examiné. S'il remplit les critères d'appartenance à une race donnée, il pourra être confirmé. Cette confirmation lui permettra d'être inscrit sur le livre, lui et sa future descendance, à condition que ses rejetons aient été conçus avec un partenaire de la même race que lui.

Vous ressemblez terriblement à votre père, on ne cesse de vous le répéter. Vous enragez, vous pensez que cette ressemblance physique ne doit pas vous empêcher, si cela s'avère nécessaire, de lui résister.

Celles-ci, ce sont deux louves blanches, elles arrivent directement d'Allemagne, elles ont transité par la Belgique, c'est l'ancienne plaque tournante des achats et vente d'animaux sauvages. Je ne les ai pas achetées, c'est interdit, je les ai échangées contre deux autres bêtes. Pour les apprivoiser, j'entre tous les jours dans la cage, je m'assois au même endroit, je porte les mêmes vêtements, je fais les mêmes gestes, j'attends qu'elles s'approchent et quand elles sont tout près, je leur tends la main, toujours le poing fermé pour ne pas qu'elles s'attaquent aux doigts, on ne sait jamais, elles sont quand même dangereuses, et je dis exactement les mêmes mots pour qu'elles s'habituent à ma voix.

Vous ne hurlez plus, vous ne mettez plus les doigts dans la prise, vous ne tournez plus les boutons de la cuisinière, vous ne renversez plus les bouilloires ou les vases. Vous êtes habituée au regard de votre mère, à la voix de votre mère, au sourire de votre mère, aux ordres de votre mère. Mais la parole vous sert à demander, à réclamer, à exiger. Vous voulez une bête. Vous le dites avec vos mots. Vous le répétez. Au besoin vous le criez. Les animaux vous manquent. Ils sont loin. Ils sont de l'autre côté. Ils sont derrière. Ils sont au-delà. Après. Vers. Du côté de. Où ? Où sont-ils ? Où sont les animaux ?

Si vous voulez, on va entrer ensemble dans la cage, je vais vous montrer, suivez-moi, ne faites aucun geste brusque, voilà, je vais leur parler, alors mes chéries comment ça va aujourd'hui, approchez mes enfants, oui mes grenouilles, mes rats, mes peluches, viens, viens pupuce, viens ma belle, mais oui t'es belle, bonjour ma grande, bonjour mon bébé, qu'est-ce qu'il y a, mais oui t'es belle, c'est fini, tout va bien, il va rien se passer, t'es ma petite grenouille, t'es ma chouchoute, t'es mon rat, tout va bien, tout va bien, ne t'énerve pas.

Vous découvrez que les bêtes sont parties au loin, vous découvrez qu'elles ne sont pas revenues et qu'elles ne vont pas revenir, qu'il faudra les chercher et les traquer et les poursuivre dans les lieux improbables qui entourent les villes, terrains vagues, anciens champs, jachères, bosquets, herbes folles et ronces que la métropole laisse derrière elle et dans son sillage. Vous décidez que vous irez, contre la volonté de vos parents, à la recherche des bêtes, que vous partirez. Et pour préparer votre futur voyage, vous commencez, dès l'âge de cinq ans, à poser toutes sortes de questions à vos parents, questions auxquelles ils donnent des réponses évasives. Cela vous conforte dans votre certitude. Vos parents ne savent rien des bêtes abandonnées et des enfants sauvages mais vous, vous saurez.

Les villes ne sont pas faites pour les loups, ni les loups pour les villes. Quand il y en a, c'est qu'une catastrophe s'est produite, renversant les cycles et les zones et les territoires et toute la répartition des espèces. Mais on sait depuis belle lurette que la répartition des espèces est devenue affaire humaine et qu'on peut redéfinir le territoire et l'aménager en peuplant les zones des bêtes qu'on a choisies, exactement comme si on jouait aux échecs ou aux dames. Par exemple, l'installation des loups dans la ville est désormais programmée, les autorités compétentes ont donné leur accord, les installations logistiques sont en voie de réalisation. Pendant quelques mois, les loups seront accueillis, soignés, surveillés et nourris par les deux éleveurs qui leur feront faire le voyage, leur parleront, les rassureront, les nourriront. Et si aucun incident n'advient durant leur séjour, on pourra ensuite envisager leur installation définitive pour le plaisir des petits et des grands.

Vous ne connaissez ni le marchand de sable, ni le croque-mitaine, ni *La Petite Sirène*, ni *La Chèvre de M. Seguin*. En revanche, grâce à un disque que vous écoutez en boucle dès l'âge de six ans, vous découvrez que les enfants peuvent être mangés par le loup s'ils mentent à leurs parents. Cela ne vous affole pas outre mesure. Pour mentir, il faudrait parler de ce qui vous arrive, ce que vous faites le moins possible. De toute façon, il ne vous arrive rien ou presque, vous passez votre temps à imaginer votre vie.

On ne se rend pas forcément compte, mais exporter des loups sur un nouveau territoire exige une ténacité sans faille. On doit remplir des monceaux de papiers auprès du ministère de l'Environnement, de la mairie, établir des contrats pour la nourriture, n'oublier aucun rouage de la chaîne sans quoi le moindre dérapage – morsure, chute d'un enfant avec les conséquences qu'on imagine –, pourrait devenir dramatique et déboucher sur des procès sans fin destinés à établir des responsabilités que les loups ne peuvent pas prendre à leur charge. Si les loups étaient responsables des meurtres qu'ils commettent, cela changerait tout. Mais les loups ne sont pas responsables. Et du coup, il faut que cette responsabilité se tienne ailleurs, entre plusieurs administrations, plusieurs personnes, plusieurs bureaux, dans les interstices et les failles du système s'il y en a. Habituellement, rappelons-le, il n'y a pas de faille.

Votre père vous raconte très peu de contes pour enfants mais il y en a un qu'il reprend sans cesse et qui, pour cette raison, vous intrigue. C'est l'histoire de Hans, un jeune étranger qui, pour débarrasser une petite ville rhénane de tous les rats qui l'ont envahie, invente un stratagème. Il marche vers les portes de la ville en jouant un air sur sa flûte, attirant derrière lui les rats, charmés et séduits par la musique. L'éradication engendre le bonheur des hommes.

On ne doit pas négliger les modes d'héber-gement des loups qu'on maintiendra en capti-vité dans la ville. Oui, on les hébergera. On leur proposera des arbres, des rochers, des abris, des enclos, des terriers, des logements, des trous, des niches, des cages, des bancs, des isoloirs, des bassins, des portoirs, des box, des douves de châteaux, des jardins publics, et on installera ces zones d'hébergement dans des environnements sonore, thermique, acoustique et hydrométrique adaptés à leur mode de vie.

L'histoire que votre père raconte est joyeuse, pourtant elle vous met mal à l'aise. Peut-être parce que c'est votre père, habituellement si peu loquace, qui la raconte. Peut-être parce qu'à la fin de ce récit, il chante systématiquement une comptine en allemand dont vous ne comprenez pas un mot. Peut-être parce que vous vous demandez pourquoi votre père parle l'allemand. Peut-être enfin, parce qu'une partie de l'histoire manque.

Les loups devront disposer d'aires de jeux suffisamment étendues pour courir et déambuler sans gêner la circulation et sans mettre en danger la vie humaine. Pour ce faire, la ville a prévu d'aménager des fosses ouvertes sur l'extérieur mais séparées des rues par de hauts murs infranchissables. Plutôt que de construire ces hébergements à grand renfort de bulldozers, de marteaux piqueurs et de pelleteuses, on utilisera des installations déjà existantes sur le territoire, secteurs de fouille abandonnés, barrages hydrauliques inutilisés depuis des lustres pour cause de sécheresse endémique, anciennes carrières à ciel ouvert. La difficulté, si on veut que la population profite pleinement de la proximité immédiate des bêtes, réside dans la rareté de ce type d'installations aux abords immédiats des villes. C'est pourquoi, après mûre réflexion, les autorités ont opté pour les douves de châteaux. Profondes et conservées au fil des siècles grâce aux matériaux de qualité avec lesquels on les a naguère édifiées, elles constituent une solution idéale pour recevoir des loups fraîchement débarqués des steppes périurbaines. D'autant qu'au Moyen Âge, ces châteaux, situés dans des espaces naturels encore inviolés, étaient entourés par des fauves dont il fallait absolument se protéger. Héberger des loups en ville et dans des châteaux nous rappelle notre histoire.

Vous n'arrivez pas à vous souvenir de ce qu'il advient de Hans le joueur de flûte après son exploit. Soit votre père interrompt toujours le conte avant la fin, soit vous n'avez pas retenu la morale de cette histoire. Des années après que votre père a cessé de vous raconter ce genre de récits, vous apprenez que Hans n'a pas été récompensé pour son action en faveur de la ville et qu'à son retour les habitants ont même tenté de le lapider afin de ne rien lui devoir. Pour se venger, Hans décide alors, grâce à son art de la flûte, de séduire et charmer une centaine d'enfants qui, comme les rats, le suivent hors de la ville et disparaissent à jamais. Avec le recul, vous vous dites que votre père, sous prétexte de retrouver quelque chose de sa propre enfance, faisait un usage bien sombre des contes de fées.

Introduire des loups en ville exige un certain sens pratique. La rêverie pseudo-romantique sur le retour à la nature n'est ici d'aucune utilité. On a ainsi renoncé aux loups sauvages, aux loups non domestiques, aux loups réputés dangereux, qui vivent en liberté quelque part entre l'Italie et la France, traversant les ponts autoroutiers, les tunnels, les voies rapides, se faufilant sous les grilles de protection, entrant dans les bergeries avec des méthodes connues d'eux seuls. Ils ne sont pas appropriés à un projet de cette envergure. On les laissera évoluer dans les espaces confinés de la vieille Europe afin de garder en mémoire le souvenir de peurs ancestrales et archaïques. Les autres, les loups de ville, nés dans les parcs et nourris de main d'homme depuis plusieurs générations, sont plus faciles à déporter. Déplacés pour raison artistique, écologique, économique et touristique dans les douves susdites, ils seront sévèrement sélectionnés en fonction de leur caractère et de leur sexe. On choisira les membres d'une seule famille réunis en horde ou meute et habitués à vivre dans une proximité quasi incestueuse. De cette manière, les membres de la tribu seront contraints de réguler eux-mêmes une partie de leur agressivité en partageant la vie dans la fosse, qu'on appellera de ce fait fosse commune.

Les histoires de votre enfance occupent votre esprit pendant de nombreuses années. Vous découvrez non seulement que Hans est un petit criminel, mais que *Rosemary's baby*, le film de Roman Polanski, est sorti en salles en 1968, trois ans après votre naissance. Contrairement à la légende familiale, votre mère n'a donc pas pu voir ce film pendant sa grossesse. Vous vous demandez quel usage vos parents comptaient faire de ce mensonge, quel usage exactement ils en ont fait.

Il est impératif de mesurer par avance le degré d'amitié ou d'inimitié qui existe entre tel et tel loup dans la meute et d'éviter les cas de mésentente flagrante entre frères, cousins, parents et enfants. Ces cas ne sont pas rares. Bien souvent, dans l'organisation hiérarchique du clan, les individus de même sexe se disputent le rôle de dominant. Le loup est l'ennemi du loup.

Vous cherchez des questions auxquelles vos parents ne pourront pas répondre et qui les obligeront à vous laisser expérimenter le monde par vous-même. L'une d'elles revient constamment et vous obsède. Que font les rennes après Noël?

On a plusieurs techniques pour essayer de les déclencher, il faut être patient, la meilleure façon de provoquer leurs hurlements, c'est de retirer certains loups de la meute, on en enlève un ou deux, on les sépare du groupe, on les manipule, ça ne leur plaît pas, à un moment ils se déclenchent, ils hurlent pour appeler leurs compagnons, là le public a vraiment l'impression d'être dans la steppe avec des bêtes sauvages, c'est très impressionnant et vraiment magnifique à entendre.

Quand il arrive que vos questions deviennent trop insistantes, vos parents vous interdisent de vous exprimer sous peine d'avoir la langue coupée. Vous avez du mal à croire qu'ils mettront leur menace à exécution, vous les imaginez difficilement maniant des instruments tranchants destinés à vous faire souffrir, vous les voyez plutôt comme des êtres bienveillants, en plus ce sont vos parents. Malgré tout, par prudence, vous vous abstenez de parler à tort et à travers. Vous apprenez que le silence protège.

Pour prévenir les risques de violence communautaire, on a déjà choisi soigneusement les membres du troupeau et on a commencé à juguler les instincts sexuels des femelles en programmant des opérations de stérilisation. Ces interventions doivent être réalisées dans les jours qui viennent. Il convient en effet de prévoir un délai de plusieurs semaines entre le moment où elles seront pratiquées et le moment où on introduira les bêtes stérilisées dans leur nouveau lieu de vie, afin que leur peau lourdement endommagée par le bistouri ait le temps de cicatriser. Il ne faut pas que le grand public découvre que les loups choisis ont pu être mutilés avant d'entrer dans la fosse. Le plaisir de les voir errer dans un jardin public, s'emparer du mobilier urbain et en modifier considérablement les usages, pourrait être oblitéré par une connaissance annexe et inutile des conditions dans lesquelles s'est réalisée une telle opération. Écologistes et défenseurs des animaux ont souvent une conception étroite et naïve de la nature et ne savent pas qu'un loup en captivité, correctement soigné et surveillé par ses maîtres, a une espérance de vie bien supérieure à celle de son congénère sauvage. L'homme n'est pas l'ennemi du loup.

Votre mère tente diverses explications sur la survie des rennes après la période des neiges. L'une d'elles consiste à dire qu'ils se cachent dans les coins reculés de la forêt pour élever leurs enfants et leur apprendre à tirer à leur tour le traîneau du père Noël. Vous n'êtes pas sûre que cette explication vous satisfasse, vous aimeriez tellement, tout en continuant à bénéficier des cadeaux amenés par leurs soins, qu'ils quittent définitivement le traîneau, cisaillent leur joug et parviennent jusqu'aux lointaines toundras de l'Est.

On n'est jamais vraiment ami avec les bêtes qu'on dresse, il faut rester sur ses gardes mais quand on entre dans la cage, on n'a déjà plus peur, on est dans notre monde, on est complètement sur une autre planète.

Vous imaginez la course des rennes dans la neige, leur fuite vers le grand Est et leur disparition dans la toundra sibérienne. Vous vous demandez si le père Noël atteint ces zones reculées quand il cherche à retrouver ses bêtes. Vous l'imaginez à pied, seul, criant le nom de chacun d'eux pendant une partie de l'été pour essayer de les retrouver. Mais quand Noël approche, vous oubliez la liberté des rennes pour vous concentrer sur les cadeaux que vous espérez.

La quantité de nourriture nécessaire aux loups sera préalablement déterminée et calculée par les soigneurs. Composée essentiellement des invendus de volailles et de viande rouge conditionnées pour les grandes surfaces, elle sera achetée à un tarif préférentiel grâce à un partenariat signé avec le centre commercial qui assurera la livraison quotidienne de la viande, équivalant à environ deux cent cinquante kilogrammes par semaine, soit deux kilos de viande par jour et par individu.

Dans le cirque où je travaillais, c'était très dur, je n'avais pas à manger pour les bêtes, des fois je voyais un ou deux ânes sur la colline, je partais avec une masse, le soigneur m'accompagnait, on faisait ça en douce et on ramenait la nourriture à la tombée de la nuit, c'est un mauvais souvenir.

Votre grand-mère, la mère de votre père, est une vieille dame calme et extrêmement discrète. Elle n'a aucune histoire à vous raconter mais elle prépare des plats polonais qu'elle essaye ensuite de vous faire ingurgiter à grand renfort de prières et d'injonctions alternées. Chaque année, au moment de la Pâque, elle achète la carpe vivante, la plonge dans la baignoire, la laisse se fatiguer et se débattre puis la prend à pleines mains et la tue au marteau dans l'évier avec une violence que sa constitution de vieille dame n'aurait pas laissé présager. Le sang gicle sur les parois en émail, la bête se tord et essaye de fuir mais la réussite de votre grand-mère est totale. Il n'y a jamais aucun survivant. Toutes les carpes meurent inexorablement dans son évier les unes après les autres et finissent sous la forme de ce plat fade et légèrement sucré que vous avez en horreur et qu'on appelle avec un mélange de dégoût et de fierté communautaire «la carpe à la juive».

Pour éviter que les loups n'attrapent des proies vivantes sur le territoire qui leur a été attribué, des filets et piques destinés à empêcher les volatiles de s'installer dans la zone doivent être prochainement posés. Le spectacle d'un de ces canidés en train de boulotter colverts ou moineaux pourrait en effet choquer nos concitoyens et créer une hostilité injustifiée à leur égard.

Vous passez vos week-ends à attraper des canards en plastique avec une canne munie d'un crochet. Tout en vous concentrant pour être le plus efficace possible, vous pensez au plaisir qu'il y aurait à pêcher les grosses carpes qui nagent au fond du bassin, à sentir leur poids sur la ligne, à sortir l'hameçon de leur gueule béante avant de les rejeter dans l'eau. Vous sentez que ce désir est pire encore que le désir que vous avez d'un animal familier. Vous n'en dites rien à votre mère. Pour mentir, il faudrait parler.

Il fut un temps où la loi prévoyait des élevages d'espèces proies destinées aux animaux se nourrissant exclusivement de bêtes vivantes mais cette loi a été amendée par une autre pour que le spécimen sauvage ne puisse aucunement être qualifié de tortionnaire, ce qu'il était pourtant du temps où les animaux vivaient dans la nature. On se souvient qu'à cette époque, le prédateur commençait à dévorer sa proie avant même de lui donner le coup fatal, méthode jugée à juste titre inhumaine par les autorités en charge du confort des hommes et des bêtes. C'est pourquoi les services vétérinaires ont transformé les loups, les fauves, serpents et ursidés, habituellement friands de chair fraîche, en charognards.

Votre mère a décidé que l'intégration des familles juives à la nation française passe par la célébration de Noël. Elle estime que sa progéniture ne doit pas se sentir exclue d'une fête dont tous les enfants parlent et qu'ils attendent impatiemment. Vous écrivez donc régulièrement au vieux monsieur à barbe blanche, à qui vous réclamez un animal domestique, une petite boule de poils que vous pourriez caresser, nourrir, cajoler, embrasser, avec qui vous pourriez jouer et parler sans relâche et dont vous vous occuperiez. Mais comme le père Noël n'a pas l'air de vous écouter, vous décidez, sitôt la fête consommée, de partir avec ses rennes pour vous venger.

Les poulets arrivent congelés et entiers, on les leur envoie par-dessus la grille, quelquefois on leur bourre le croupion de viande hachée et on met des médicaments dedans, pas des antibiotiques mais des vitamines, pour que leur poil reste brillant. Le confort du loup assure la sécurité de l'homme.

Pour l'un des Noëls de votre enfance, vos parents ont organisé une grande fête avec les grands-mères, grands-pères, oncles, grands-oncles, tantes et grands-tantes, cousins, cousines, cousins issus de germains, nièces et neveux, gendres, belles-sœurs, qui appartiennent à la famille par des branches et biais divers auxquels vous n'avez jamais rien compris. Cette foule considérable se presse dans la salle à manger en attendant le moment de la distribution des cadeaux. Depuis la veille, trône, sous le sapin en synthétique que votre père a consenti à acheter, un énorme cube recouvert de papier que vous allez devoir ouvrir devant tout le monde. L'excitation est à son comble, la cérémonie va pouvoir commencer. Assise sur le sol, vous déchirez l'emballage avec frénésie et découvrez une énorme poupée affublée de tout un matériel de soins. La déception est si violente qu'elle déclenche chez vous une crise de larmes épouvantable dont personne, dans cette famille à branches et à généalogie, ne réussit à comprendre les causes et qui gâche en grande partie l'ambiance festive de cette vaste réunion.

Si les limites de la zone d'hébergement sont habituellement matérialisées par une clôture extérieure destinée à éviter toute évasion ou toute pénétration non contrôlée de personnes ou de bêtes, l'installation ici envisagée, un immense fossé à la fois profond et entièrement à ciel ouvert, ne nécessitera pas de telles structures et aura de ce fait une grande élégance architecturale et une légèreté tout aérienne. La zone de sécurité, espace d'une largeur minimale de 1,50 m, destiné à séparer le public de l'animal, sera remplacée, à certains endroits, par un garde-corps conçu de façon à empêcher les spectateurs de se pencher et d'atteindre les bêtes. On sait bien que les loups attirent irrésistiblement les enfants, et que la vigilance des mères peut être mise en échec par la curiosité de bambins peu conscients de l'écart entre le conte et la vie réelle. Pour le loup, l'homme est un homme.

Vous voudriez aimer ce que les autres petites filles aiment, vous voudriez comme elles jouer à la poupée, vous avez honte de ne pas jouer à la poupée mais vous ne pouvez vous résoudre à y jouer, vous réclamez des animaux domestiques, des soldats, des camions, des garages, des tipis, des costumes de héros, à force d'obstination votre mère cède à certains de vos désirs, vous obtenez la panoplie d'Indien avec les plumes derrière la tête, la cape de Zorro, mais l'animal, la petite boule de poils que vous souhaiteriez garder auprès de vous, cajoler, caresser, nourrir, soigner, à qui vous raconteriez vos secrets, vos malheurs, vos déceptions et vos envies, vous ne l'obtenez jamais.

Les espaces à l'air libre, proprement réservés aux loups, auront une taille minimum de 100 m^2 pour un couple et 20 m^2 par animal supplémentaire, ce qui, pour une famille de douze membres, constitue une cellule respectable (300 m^2) bien que très largement inférieure en taille à la moyenne des surfaces disponibles dans le Nord canadien ou en Sibérie orientale. Ces espaces devront impérativement être entourés de grillages. Type de maillage, écartement des barreaux, nature des poteaux de soutien, modes de fixation dans le sol ont fait l'objet de diverses études et les résultats indiquent que les structures Layher avec bardage treillis galvanisé d'un diamètre de 4 mm sont les plus adaptées et les plus sûres. Le treillis sera enfoncé sur toute la longueur et sur quarante centimètres de profondeur. De cette manière, les bêtes n'auront aucun moyen de s'échapper.

Vous décidez d'organiser votre résistance au monde des parents, de négliger fièrement le père Noël, d'élever des escargots dans des boîtes à chaussures, d'accueillir dans votre chambre les animaux abandonnés et de partir avec les rennes après les fêtes de fin d'année.

La consigne, c'est de ne jamais tomber au sol et de toujours garder le dos aux grilles. Pour l'homme, le loup est un loup.

Vous vous demandez si dans les familles où la cohésion suppose une puissante interdépendance entre chacun de ses membres, l'introduction d'un individu appartenant à une autre espèce n'est pas vécue comme une trahison. Vous voulez trahir, vous ne savez pas comment vous y prendre.

La nuit, mes loups ne seront pas exposés au public, c'est ce que j'ai demandé. Ils auront deux tanières indépendantes, d'une longueur totale de 23 m linéaires, d'une largeur de 3 m et d'une hauteur de 2,50 m, c'est la taille réglementaire. On a prévu des habillages en bois, des sols recouverts de sable, c'est fondamental que mes bêtes puissent se reposer et être un peu tranquilles.

Dans l'univers de la détention comme ailleurs, les animaux ont besoin de distinguer le jour de la nuit si on veut leur épargner des dérèglements biologiques et psychologiques irréversibles.

Vous constatez que l'entêtement qui est le vôtre à vouloir un animal familier est considéré par votre entourage comme un ridicule caprice ou, pire, comme une forme d'infidélité. Vous décidez d'accepter une fois pour toutes d'être infidèle. Vous voulez trahir, vous ne savez pas comment vous y prendre.

Un système de vidéosurveillance relié au Poste de commandement du château d'accueil assurera la sécurité permanente du site. Le PC sera relié à une ligne téléphonique d'astreinte assurée par la société Lynx, réputée pour son efficacité et spécialisée dans la surveillance des animaux en captivité. En cas d'urgence, Lynx devra impérativement faire appel au seul propriétaire et détenteur des bêtes. Prêt à intervenir vingt-quatre heures sur vingt-quatre et installé de ce fait à proximité des douves, ce dernier aura accès à un matériel de capture, un pistolet hypodermique dist-inject 55 ainsi que deux lassos, matériel dont il ne fera usage qu'en présence du vétérinaire de service, seul apte à fournir l'anesthésique nécessaire à une contention hypodermique.

Quand on arrive à l'hôpital avec le bras à moitié déchiré, on ne dit pas tout de suite aux infirmiers que c'est un loup, sinon ils nous prennent pour des fous. N'empêche, avec la taille de la blessure, l'empreinte des crocs dans la chair, vingt-trois points de suture et un gros morceau de viande en moins, ça ne pouvait pas être un chien. Pour le loup, l'homme est un autre loup.

Avec le temps, vous en venez à remarquer qu'aucune des familles que vos parents fréquentent ne possède d'animal domestique. Cela vous conforte dans l'idée qu'il vous faudra un jour rompre avec ceux qui vous élèvent, vous soignent, vous chouchoutent, vous cajolent, vous retiennent, vous possèdent. Vous voulez trahir, vous ne savez pas comment vous y prendre.

Le choix du dresseur et des soigneurs est absolument déterminant pour la réussite de l'entreprise. On procédera à des entretiens préalables avec des candidats triés sur le volet, on s'assurera de leur équilibre mental, on les interrogera sur leurs motivations, sur leur histoire, on leur fera dessiner des maisons, des arbres et des moutons, on leur posera des questions intimes sur leur enfance et sur leur vie sexuelle. On privilégiera ceux qui manifestent autorité, sens de l'organisation et de la responsabilité, et qui distillent en même temps un charme sourd susceptible à la fois de fléchir les dernières résistances des officiels et d'emporter l'adhésion du grand public.

Vous avez honte de ne pas jouer à la poupée, de ne pas aimer les poupées, d'avoir les poupées en horreur, vous avez horreur des poupées, à Noël vous ne dites jamais à vos camarades de classe ce qu'on vous a offert, vous cachez la vérité, vous aimeriez ressembler aux autres petites filles, vous vous demandez parfois si elles ne font pas semblant, si elles ne préféreraient pas, comme vous, s'habiller en Indiens et hurler en tournant autour du feu, vous n'êtes pas sûre qu'elles soient si différentes de vous, quoi qu'il en soit vous les enviez, vous aimeriez, malgré votre répulsion, réussir à prendre une poupée dans les bras et la bercer mais vous n'y arrivez pas, vous avez essayé une fois, c'est impossible, ce n'est pas que vous soyez froide, vous ne pensez pas que vous l'êtes, vous êtes sûre par exemple que vous sauriez vous occuper d'un petit animal, une boule de poils chaude et remuante et vivante et palpitante. Si on ne vous donne pas ce que vous voulez, vous partirez avec les rennes après Noël.

Tous ces paramètres sont d'ores et déjà intégrés au programme d'introduction des loups dans les châteaux de France et de Navarre.

La Direction vétérinaire départementale a pour fonction de désamorcer, par une campagne de sensibilisation, les réactions négatives et parfois incontrôlées d'une partie de la population. Elle joue le rôle de médiateur auprès de la municipalité et des différents groupes de pression actifs dans la région. Il faut se méfier en particulier des bergers, des éleveurs de gros bétail, des sociétés de chasse, des associations de parents et de riverains, des entreprises de toilettage pour chiens, des sociétés de protection des animaux, des cirques, des conservateurs de musées qui tous, à des titres divers, peuvent être inquiétés par la présence de bêtes fauves. Dans un projet d'une telle ampleur, la rage, la peur, l'envie, la compassion imbécile et l'esprit de concurrence doivent être tenus en respect. L'homme est un homme pour l'homme.

Tant que vous appartiendrez à votre mère, vous n'obtiendrez pas ce que vous souhaitez. Vous ne savez pas encore comment vous y prendre mais un jour vous trahirez.

Tout dresseur commence sa carrière en séparant les nouveau-nés de leur mère.

Vous vous réveillez avant tout le monde et allez régulièrement passer la fin de la nuit dans le lit de vos parents. Vous n'êtes ni chassée ni grondée, vous vous sentez aimée, vous êtes fortifiée par cet amour, vous oubliez vos désirs d'enfant, vous reprenez votre ours en peluche, vous hésitez à l'abandonner ou à le martyriser, vous n'êtes pas encore prête à trahir votre famille.

Afin de valider sa compétence maternelle, le dresseur passe, au bout de cinq années d'une pratique régulière de l'espèce, un certificat qu'on appelle certificat de capacité. Ce certificat lui permet d'acquérir le statut de capacitaire et de lancer une procédure d'adoption à l'endroit d'une ou de plusieurs bêtes. Pour faire aboutir ce projet, le capacitaire doit remplir des formulaires de toutes sortes et de différentes couleurs, faire

marquer les bêtes dont il va devenir le propriétaire ou faire enregistrer le marquage qui est déjà
le leur sur sa carte de future mère.

Vous commencez à vous demander si vous
n'êtes pas la propriété de votre maman. Vous ne
savez pas encore comment vous y prendre mais
vous avez bien l'intention de lui échapper.

Le marquage se fait par implantation sous-
cutanée ou intramusculaire d'un microcylindre
de verre contenant un transpondeur à radio-
fréquences conforme à la norme ISO 11784. À
l'activation d'un émetteur-récepteur, appareil
portable électronique, le transpondeur répond
en transmettant le code d'identification de l'animal, code unique, strictement individuel et
permanent. L'avantage d'un tel dispositif réside
dans la fiabilité de la lecture qui peut, de plus,
s'effectuer à distance, ce qui évite aux douaniers
de toucher les bêtes. L'implantation doit être
effectuée au niveau de l'encolure (gouttière jugu-
laire), du côté gauche.

Vous avez insisté, vous avez réclamé, à la fin
vos parents ont compris que votre obstination
devait trouver quelque expédient, ils ont accepté
d'introduire dans la maisonnée une bête vivante
et remuante et palpitante, mais pas celle que
vous vouliez.

L'animal devra également être porteur d'un passeport, d'une carte verte et d'un certificat CITES (dans le cas où il appartient aux espèces menacées d'extinction et relève de la convention de Washington), certificats et cartes délivrés par la Direction régionale de l'environnement et comprenant des informations sur l'origine de la bête, son identité, ses date et lieu de naissance, numéros d'identification du père et de la mère biologiques, date d'entrée sur le territoire français s'il vient d'un autre pays, date d'acquisition par son actuel propriétaire, taille, poids, sexe, signes particuliers. Pour l'homme, le loup n'est plus un loup.

Le consentement de vos parents est de petite envergure, ce n'est pas un véritable consentement, c'est un consentement à moitié, dans la hiérarchie des bêtes vous n'obtenez pas le compagnon que vous souhaitez, vous n'avez pourtant pas exigé l'impossible, ni cheval, ni panthère, ni zèbre, ni même chien-loup, vous avez demandé le banal mais on ne vous l'a pas accordé, vous vous dites que si vous ne portiez pas des plumes, des arcs et des flèches, si vous ne tourniez pas autour du feu, si votre tunique en peaux pouvait ressembler à une jupe, si vous ne montiez pas dans des camions en plastique jaune, si vous ne lanciez pas des voitures contre la cloison principale du salon, si vous n'aviez pas négligé la magnifique poupée qu'on vous avait offerte, si vous ne l'aviez pas laissée se couvrir de poussière, si vous ne lui aviez pas à l'occasion démis un bras, crevé les yeux, si vous aviez été moins cruelle avec elle, vous auriez peut-être le droit à ce que vous désirez mais vous n'y avez pas droit. Si les choses ne prennent pas une autre tournure, vous partirez avec les rennes après Noël. Vous trahirez.

Au terme du processus, et une fois l'adoption acquise, la mère des loups, entendons leur détenteur, peut monter une animalerie fixe ou itinérante, posséder des bêtes, les transporter d'un cirque à un autre, d'un tournage à un autre, d'une manifestation à une autre, d'un spectacle à un autre, d'une ville à une autre. Lors des déplacements sur le territoire ou hors du territoire, il présente aux gendarmes, policiers, contrôleurs et douaniers des postes frontières, l'ensemble des papiers d'identité de ses protégés. Ces papiers garantissent qu'il est bien maître et possesseur de sa marchandise et qu'il peut exercer légalement un commerce en la montrant devant divers publics.

N'obtenir aucun droit vous chagrine, vous en voulez terriblement à vos parents, vous vous mettez petit à petit à distance, l'absence d'animal familier vous permet momentanément de défaire votre appartenance, momentanément vous n'appartenez plus à vos parents.

Lors de chacun de ses déplacements, le dresseur se munit également de son certificat de capacité, du permis de conduire spécial que la préfecture lui a délivré moyennant finance et qui lui donne l'autorisation de transporter des animaux sauvages dans la partie arrière de son estafette blanche. De toute façon, équipé d'une puce électronique accrochée à vie derrière ses oreilles, le loup est partout identifiable, sa traçabilité dans l'espace européen et ailleurs quasi parfaite.

Quand vos parents s'absentent, ne serait-ce que pour une soirée, le vide se creuse en vous, le sommeil vous quitte, la peur monte, abandonnée à vous-même vous n'avez aucune volonté, aucun désir, aucune capacité à agir, vous êtes entièrement sous leur coupe, en leur pouvoir et possession, sous leur contrôle, entre leurs mains. Votre trahison est sans effet. Vous appartenez à vos parents.

Le capacitaire a pour rôle d'éduquer ses petits, de les manipuler sans les heurter ni les maltraiter, bref, d'installer ses loups dans une captivité à la fois définitive et douce, sachant qu'il fera en même temps le commerce de cette captivité.

Vous n'appartenez à personne, du moins c'est ce que vous vous répétez, ce dont vous vous convainquez, ce que vous pensez. Vous n'appartenez à personne. Il y a bien des fois où le doute s'insinue en vous, où vous mesurez le plaisir qu'il y a à être possédée par quelqu'un, à être entre ses mains, sous son contrôle, en son pouvoir, sous sa coupe, quelqu'un qui vous soigne, vous chouchoute, vous nourrit, vous conseille, vous mène et vous dirige, bref, vous aime, vous imaginez parfois l'amour sous la forme extrême de cette dépendance sans contrepartie et sans frein, et la seule pensée de cet amour vous donne des frissons. Mais le frisson affaiblit votre combativité et votre désir d'indépendance. Pour trahir, il ne faut pas frissonner.

Sans doute est-il difficile de se résigner à faire le commerce de ceux qu'on aime, à les faire monter sur des tabourets, passer dans des cercles de feu, grimper sur des voitures rutilantes, lécher les mains d'actrices couvertes de maquillage en cachant dans leurs vêtements des morceaux de bœuf en récompense. Mais quand on vit dans une société marchande où il peut arriver que des parents vendent leurs enfants ou leurs organes ou leur sang pour subvenir aux besoins élémentaires de la vie, on peut estimer que le commerce des loups représente un moindre mal et on cesse de se révolter inutilement.

Vos parents ont assuré le service minimum, ils ont acquis la bête la moins encombrante possible, celle qui disposera d'une très faible autonomie. Un canari jaune dans une cage ouvragée a fait son apparition dans votre chambre.

Après le cinéma, on a voulu se lancer dans les défilés de mode mais le gros problème, c'est que les mannequins perchées sur leurs hauts talons n'arrivaient pas à les tenir en laisse, les loups tirent de trop, les spots de lumière, la chaleur, le bruit, la musique qui gueule, ça les rendait nerveux, ça n'était pas satisfaisant, on a dû interrompre.

Vous n'avez pas tellement d'affection pour ce canari, chose pourtant vivante et remuante et presque parlante, vous ne pouvez ni l'attraper ni le tenir, vous pouvez tout juste le regarder et, de temps à autre, vous ouvrez la porte de sa cage et le laissez voleter dans votre chambre. Pour vous consoler, vous vous dites que vos parents auraient pu acheter un poisson rouge, auquel cas vous n'auriez même pas eu le plaisir de lui donner, l'espace de quelques instants, le sentiment d'être libéré, sauf à le plonger dans la baignoire comme les carpes de votre grand-mère.

Il peut arriver que des loups soient victimes d'un infarctus durant une manifestation, ou qu'ils déclarent une maladie incurable. Dans ce cas, le capacitaire prendra contact avec le vétérinaire qui se chargera d'euthanasier la bête malade en pratiquant une injection mortelle.

Le jour où je me suis fait choper, j'ai commis une erreur, j'ai baissé la garde, je n'ai pas eu le temps de réagir que je l'avais déjà pendue au bras, mais je n'ai pas de rancune, c'est une louve que je connais bien, je l'ai élevée au biberon, j'ai fait des tas de choses avec elle, je ne veux pas qu'on la pique, ça serait trop facile, quand on prend cette décision c'est toujours très dur, on a des souvenirs ensemble, on a joué ensemble, ensemble on a pris des risques, il faut vraiment que l'animal souffre de trop pour qu'on le fasse, on le voit partir, il vous regarde, il comprend très bien qu'il va à l'abattoir, la façon qu'il a de vous dire au revoir en vous fixant, vous avalez la pilule mais c'est très difficile. Après ils ont des fours, ils mettent carrément la bête avec d'autres chiens, d'autres trucs, je ne me suis jamais vraiment penché sur la question, ils ne brûlent pas bête par bête.

Dès votre plus jeune âge, vous savez que vous n'êtes la propriété de personne. Parfois, vous le regrettez.

Les restes ou cadavres doivent être clairement identifiés par étiquetage. Le vétérinaire mettra les déchets à la disposition du service public de l'équarrissage chargé de la collecte et de l'élimination des sous-produits animaux impropres à la consommation humaine. Cette élimination sera réalisée dans une usine d'incinération agréée par la préfecture. Afin de garantir l'accomplissement total de la combustion des déchets, obligation est faite pour toutes les installations de maintenir les gaz résultant de l'incinération à une température minimale de 850 °C pendant au moins deux secondes.

Un matin, vous vous êtes levée, le canari gisait inerte dans la cage. Vous avez tenté de le soulever et de le remuer, vous l'avez tenu entre vos doigts mais il n'était ni palpitant ni remuant ni parlant. C'était la première fois que vous teniez un cadavre dans vos mains.

Toutes ces précautions, informations, préventions des risques, gestion des dépouilles ne doivent pourtant pas nous faire oublier l'essentiel. L'installation des loups en ville est imminente. La municipalité, pionnière dans ce domaine, la direction départementale des services vétérinaires, la préfecture, le bureau de l'aménagement de la région ont donné leur accord. Le dossier vient d'être validé par la sécurité civile et les assurances qui reconnaissent que toutes les dispositions ont été prises pour qu'aucun accident ne se produise sur le site. La demande sera très prochainement homologuée par le ministère de l'Environnement qui statuera sur la coexistence possible, dans un cadre fixé par la loi, entre des loups et des hommes.

Vous êtes partie à l'école en pensant au petit corps inerte et jaune entre vos doigts, cet être vivant désormais défunt avait rétrospectivement acquis de l'importance, vous avez décidé de lui offrir une cérémonie d'adieu pour garder une trace de son existence mais quand vous êtes revenue, la dépouille de votre oiseau avait disparu.

Avant je défilais avec mes bêtes, je les tenais en laisse mais depuis qu'un petit tigre a esquinté un gamin dans un spectacle de rue, c'est interdit. Et se promener avec une cage, les gens n'aiment pas, ça fait un peu négrier, donc on y a renoncé.

Vous auriez aimé jeter vous-même le canari dans le vide-ordures de la cuisine après l'avoir emmailloté dans un linceul blanc. Cela vous aurait permis de donner de l'épaisseur à l'existence passée de cette petite bête.

Les parents ont prévenu leurs enfants pour qu'ils ne se précipitent pas dans la fosse, les riverains ont sécurisé leurs pavillons et leurs appartements, les portes blindées, caméras de vidéosurveillance, systèmes d'alarme de toutes sortes connaissent un regain d'intérêt, la société d'économie mixte qui gère les douves du château a adapté l'accueil pour favoriser l'émission massive de billets et la vente de produits dérivés, bref, la ville se prépare à être investie, en son cœur et centre, par des spécimens allogènes dont on assurera à la fois le bien-être et le contrôle. Le loup est un homme pour l'homme.

Vous êtes une enfant, on veut vous protéger, vous êtes fragile, sensible, on veut vous épargner les émotions fortes, vous aurez bien le temps plus tard de découvrir la vérité et d'y être terriblement exposée. On ne veut pas que vous soyez exposée à la terrible vérité. Pour vous venger, vous vous promettez de monter sur un renne après Noël et de partir vers l'est avec le troupeau.

Certains critiquent la commercialisation des bêtes sauvages, d'autres la transformation irrémédiable des châteaux en parcs animaliers, d'autres encore souhaitent étudier en détail les conséquences d'une telle opération sur la population locale. Les autorités se veulent rassurantes. Des campagnes d'information sont en préparation pour accueillir les futurs nouveaux occupants. Leur introduction au centre-ville ne modifiera en rien la vie des habitants, ne sera pas l'occasion d'une insécurité accrue, ne bouleversera pas les équilibres entre les différentes communautés, ne montera pas les gens les uns contre les autres, ne suscitera pas la hargne et la vindicte des associations susnommées. Dans la cité, la tradition de l'hospitalité est très ancienne.

On peut dire ce qu'on veut mais à une époque les loups et les hommes vivaient ensemble, donc ça m'étonnerait que les loups aient copié les hommes, c'est plutôt l'homme qui a copié les loups, la famille, le clan, tous unis, un chef de meute, un chef de clan, le système est le même. L'homme est un loup pour l'homme.

On ne vous a pas dit ce qu'on faisait des rennes après Noël. On ne vous a pas expliqué ce qu'il advenait du corps inerte des animaux.

Entre les contes de fées et la vie réelle il y a un vide que vous n'arrivez pas à combler. Vous vous remplissez d'une rage muette et invisible. Vous décidez, si vos parents continuent à vous cacher la vérité, que vous partirez avec les rennes juste après Noël. Vous trahirez.

II

Vous n'aimez pas les animaux familiers, vous préférez les animaux sauvages. Mais il se trouve qu'à force de regarder des reportages animaliers, les animaux sauvages vous sont devenus familiers.

Je suis fils d'agriculteur et l'aîné de trois enfants, mes parents étaient salariés agricoles, ils n'auraient pas pu payer des études à leurs trois fils. Pour ne pas mettre en difficulté mes petits frères, j'ai préféré arrêter mes études, j'avais un oncle qui travaillait au zoo, c'est par hasard que je suis devenu soigneur.

Au désir que vous éprouvez d'un animal domestique, désir auquel vous ne pouvez accéder, vous substituez une étude circonstanciée, obsessionnelle et compulsive, de tous les mammifères de la planète. La *libido sciendi* remplace la libido tout court, l'étude recouvre, l'étude compense, l'étude soigne, l'étude console, l'étude retarde, elle détourne le désir de son objet de sorte que vous mettez des années à comprendre exactement quel est cet objet et comment vous pourriez l'atteindre. L'étude est une source inépuisable de bonheur et de frustration.

Le parc animalier de Vincennes est un des plus vieux d'Europe. Il s'est installé sur le site d'un zoo temporaire créé dans le bois de Vincennes à l'occasion de l'exposition coloniale de 1931 où on pouvait admirer des villages indigènes et des animaux exotiques. Inauguré en 1934, le zoo négligea les indigènes pour se concentrer sur des animaux qu'un public citadin n'avait aucune chance de rencontrer dans son immédiat environnement. À la différence du Jardin des Plantes à Paris, l'architecture du zoo visait à présenter les spécimens dans des fossés, sur des enrochements et des plateaux censés imiter la nature, en évitant le plus possible les barreaux et les grilles. Les principes de construction et règles d'hygiène qui ont été à l'origine des bâtiments ont montré que l'idée moderne que l'on se faisait de la nature s'est peu à peu démodée.

Je suis tout à fait anti-zoo mais je pense que je dois rester dedans pour essayer de faire évoluer la structure, gérer mon équipe, définir des objectifs, l'espèce la plus difficile à s'occuper, c'est quand même le soigneur.

La première fois que vous avez vu un mammifère à l'état sauvage, vous ne vous en souvenez pas. Et il y a tant de premières fois que vous avez oubliées : la première fois que vous avez vu un arbre, la première fois que vous avez mangé un fruit, la première fois que vous avez touché le corps d'un humain qui n'appartenait pas à votre famille. Vous ne pouvez pas dire quand mais vous pouvez dire où : un zoo, et plus exactement le zoo de Vincennes. Vous pouvez donc écrire cette phrase en étant à peu près sûre de ne pas vous tromper. La première fois que vous avez vu un animal sauvage, c'était un animal en captivité.

Les installations fixes ou mobiles des établissements présentant au public des spécimens vivants de la faune locale et étrangère doivent offrir aux animaux de bonnes conditions de détention et permettre leur observation tout en tenant compte de la santé et de la sécurité des visiteurs et du personnel de service.

La loi coordonne sans s'émouvoir des exigences inconciliables. Par exemple, de bonnes conditions de détention exigeraient la plupart du temps que les animaux ne soient pas observés.

Vous cherchez dans les livres des informations sur l'éthologie des rennes, leur mode de vie et de reproduction, vous apprenez que certains sont captifs dans des régions tempérées où il neige rarement et en quantité infime. De toute façon, à douze ans, vous ne croyez plus au père Noël.

Aucune ouverture ni aucun accès aux enclos ne doit être situé du côté accessible au public, et toutes les portes doivent être construites avec des sas de sécurité. Ces portes, si elles sont pleines, devront être munies de judas qui assureront une visibilité totale de l'enclos et ne présenteront aucun angle mort. Les aires extérieures, accessibles par camionnette ou grue (pour les livraisons et la maintenance), favoriseront la bonne circulation des bêtes. On évitera en particulier les goulets d'étranglement susceptibles de produire des mouvements de panique et de conduire à la mort de certains individus par écrasement.

Souvent vous avez envie de vous retirer dans votre chambre mais vous n'osez pas fermer à clef votre porte de peur que l'un de vos proches, en essayant de l'ouvrir, ne comprenne que vous avez cherché à vous enfermer. Pourquoi auriez-vous cherché à vous enfermer ? Quelles raisons auriez-vous de le faire ? Y aurait-il des choses que vous voudriez cacher ? Il ne faut rien cacher à votre mère. De peur d'avoir à répondre à ces questions dont vous êtes sûre qu'elles vous seraient posées avec une tendresse plus douloureuse et plus insidieuse encore que la réprimande, vous ne vous enfermez jamais dans votre chambre. Et vous évitez surtout les choses qui justifieraient que vous ne le fassiez. Vous ne désirez rien d'autre que de vous enfermer.

J'ai eu une seule engueulade digne de ce nom, c'est quand j'ai osé chercher des pneus pour donner au gorille, parce qu'il n'avait rien dans sa cage, absolument rien. J'ai été convoqué par le directeur qui m'a dit qu'ici on n'était pas au cirque, que les animaux n'étaient pas là pour jouer mais pour être posés dans leur cage, il fallait qu'on les voie bien.

Comme dans les prisons, l'animal détenu doit être toujours visible. Mais à la différence des prisons, tout le monde peut venir le voir, le public est même le bienvenu. Montrer des animaux au public est l'une des principales missions des zoos.

Il arrive que votre père entre sans prévenir dans votre chambre pour y mettre un peu d'ordre. Ce sont les seuls moments où vous perdez votre sang-froid et où votre habituelle équanimité se mue en colère. Votre père finit par sortir mais cela ne l'empêche pas de revenir. Vous restez sur vos gardes, vous vous préparez à réagir. Vous ne savez pas encore comment, mais un jour vous vous échapperez.

Jeremy Bentham est surtout connu pour avoir inventé, à la fin du XVIIIe siècle, une architecture carcérale appelée panoptique, permettant à un individu situé dans une tour centrale d'observer tous les prisonniers enfermés dans des cellules arrimées à cette tour, sans que ces prisonniers ne puissent jamais savoir s'ils sont ou non, à un instant donné, observés. Cette intériorisation de la surveillance, ou surveillance invisible, est au cœur du dispositif de Bentham. C'est le même Bentham qui, au nom de l'utilitarisme, terme inventé par ses soins en 1781 pour désigner une doctrine morale et politique dans laquelle la validité d'une action se mesure à la quantité de bonheur qu'elle génère chez le plus grand nombre, c'est le même Bentham donc qui, dans son *Introduction aux principes de la morale et de la législation* (1789), s'interroge sur la place des animaux dans la classification des êtres vivants. Si le respect qu'on accorde aux êtres vivants n'est plus fonction de la raison mais de la sensibilité, et par extension de la capacité à souffrir – puisqu'il est toujours plus facile de lire sur un visage quelconque la peine que le plaisir –, il devient urgent de changer de point de vue sur les bêtes. La question n'est pas : les animaux peuvent-ils parler, mais : les animaux peuvent-ils souffrir ?

Vous renoncez à partir avec les rennes après Noël. Vous n'arrivez pas à vous représenter quelle autre forme pourrait prendre votre fuite. En attendant, vous grandissez.

On imagine aisément combien Jeremy Bentham, étant donné ses compétences et ses intérêts philosophiques, aurait apprécié qu'on lui commande la construction d'un parc animalier utilitaire et panoptique dans sa chère ville de Londres. Malheureusement pour lui, aucun de ses contemporains n'en a eu l'idée.

Vous ne désirez rien d'autre que de faire plaisir à votre mère. Vous ne désirez rien d'autre que de vous soustraire au regard de votre mère. Votre propre ambivalence vous empêche de prendre des décisions. Vous gardez le silence. Vous grandissez.

Les installations destinées au logement des animaux doivent être adaptées aux exigences biologiques, aux aptitudes et aux mœurs de chaque espèce. Pour les primates (cercopithèques, macaques et babouins), les cages sont doublées d'une paroi transparente placée à l'extérieur de celles-ci face au public. L'espace de présentation, entièrement fermé, bien exposé au soleil, aura une hauteur minimale de 2,5 m, une superficie de 10 m² pour un couple et 2 m² par animal supplémentaire. Le sol sera de préférence dur et des aménagements permettant aux animaux de grimper et de se balancer devront être ajoutés pour le bonheur de l'espèce.

Vous avez le pressentiment que tant que vous ne pourrez pas vous enfermer, vous appartiendrez à votre mère.

Dans l'histoire mouvementée de l'humanité, il a pu arriver qu'on montre au public, non des animaux, mais la manière dont certains d'entre eux s'y prenaient pour dévorer des hommes. Ça se passait en général dans des arènes bondées et le public était constitué de familles entières qui venaient là pour casser du chrétien et pour se délasser.

Vous instituez dans votre chambre un désordre stratégique. C'est votre manière de résister aux incursions répétées de votre père. Vous vous organisez.

Dans notre ménagerie on a eu deux morts avec un lion, à sept ans d'intervalle. Les deux fois, c'était une erreur humaine, les soigneurs se sont fait bouffer parce qu'ils étaient trop sûrs d'eux, ils ont oublié de bien fermer une porte et, au moment où ils ont ouvert la trappe pour faire entrer le lion dans sa cage, le lion a vu qu'il y avait un verrou qui n'était pas mis, il a poussé, il s'est retrouvé dans le couloir face aux soigneurs et là, il a beau être en captivité, correctement soigné et nourri, ça reste un animal sauvage.

Vous avez le pressentiment qu'appartenir à quelqu'un d'autre vous permettrait d'échapper à votre mère.

Il fut un temps où les installations étaient prévues pour empêcher les bêtes de se cacher dans des recoins obscurs. De fait, il n'y avait pas de recoin obscur. Les cages des fauves, cubes nus en béton brut, donnaient sur un grand hall vitré dans lequel les visiteurs se déplaçaient, passant ainsi d'une vitrine à une autre pour admirer la panthère noire, le jaguar moucheté ou le tigre. Le spectacle et la nécessité de faire venir du public exigeaient une visibilité permanente. Les acteurs principaux n'avaient même pas le droit de se retirer momentanément pour s'octroyer un moment d'intimité avec eux-mêmes.

Vous passez des samedis entiers au jardin d'acclimatation où quelques émeus, biches et cervidés, sont présentés à un public qui vient plutôt pour manger des Barbapapa, tirer au fusil à plomb et tourner sur des manèges. Vous faites comme les autres, tournez sur des manèges, tirez au fusil à plomb, montez sur des chevaux de bois mais vous restez plus que les autres au palais des glaces où votre corps méconnaissable se reflète dans des miroirs déformants. Du coup, vous négligez un peu d'observer vos amis les bêtes. De toute façon, vous êtes déçue par les rennes, par la forme de leurs bois, par leur poil terne. Vous avez du mal à faire le lien entre ces ruminants stupides et les montures sur lesquelles vous pensiez fuir vers l'est du temps où vous croyiez au père Noël.

Après deux accidents mortels, on a consacré une année entière à la sécurité parce qu'il ne suffit pas de dire que le soigneur savait, qu'il n'avait qu'à pas se gourer, que c'est de sa faute. D'autant que des statistiques ont montré qu'un ouvrier qui fait toujours les mêmes gestes a une chance sur mille de se tromper, ça fait une fois tous les trois ans, le danger de mort est réel.

Dans votre chambre, aucun miroir ne vous permet d'observer les mutations progressives de votre corps. Pour vous regarder, vous devez vous rendre dans la salle de bains commune où vos parents pourraient à tout moment interrompre votre observation. Plutôt que de prendre ce risque, vous exercez sur vos désirs une très grande surveillance.

On a créé l'asservissement mécanique, ça a rendu matériellement impossible d'ouvrir à la fois une cage et une coulisse mais ça n'empêche pas certains accidents. Le soigneur doit faire passer les fauves de la loge intérieure où ils ont dormi à la cage extérieure. Il nettoie d'abord la cage et, quand c'est prêt, il les fait passer dedans pour nettoyer la loge. Avant de rentrer dans la loge, c'est bien écrit dans la procédure que le gars doit vérifier qu'ils sont tous passés, et n'entrer que s'il a le compte, mais ça l'oblige à faire le tour, alors certains jours, il s'apprête à aller vérifier, il rencontre un de ses potes, ils commencent à causer, le match de foot, t'as vu le but, putain quel spectacle quand même, oh la la l'heure tourne il faut que j'y aille, le soigneur repart direct à la fauverie en étant persuadé d'avoir compté les bêtes alors que c'était la veille, quand il ouvre la porte de la loge, pof, y a un lion qui est là.

Vous utilisez les toilettes comme un refuge. C'est le seul endroit de l'appartement où vous pouvez vous enfermer sans qu'on vous demande des comptes. Vous y observez les parties de votre corps qui sont à portée de votre regard. Quant aux autres, vous décidez par prudence de les ignorer.

Pour éviter aux soigneurs de mauvaises surprises, j'ai trouvé une parade. Personne ne peut entrer dans la loge des fauves sans une clef, et cette clef, le soigneur doit la récupérer dans un mouchard placé devant la cage extérieure des fauves. Comme ça, il est obligé de recompter ses bêtes avant d'entrer dans la loge. C'est un système qu'on a expérimenté depuis quelques mois et qui donne de très bons résultats.

Toute votre enfance, vous avez lu des livres animaliers. Vous avez regardé longuement des schémas dans lesquels les prédateurs étaient placés en haut de structures pyramidales et vous avez aimé d'abord les prédateurs les plus forts, les plus puissants, les tueurs. Vous avez méprisé les petits, ceux qui, à la base de la pyramide, étaient presque sûrs d'être mangés par l'ensemble des autres. Et vous avez aussi consulté des tableaux comparés sur la course des fauves, vous avez prisé le léopard pour sa vitesse de pointe à l'attaque, vous avez regretté qu'il ne soit pas plus endurant. Pendant des années, vous avez admiré les bêtes les plus féroces, les plus rapides, ou jugées telles. Et il y a eu un moment, vous ne sauriez dire exactement quand ni pourquoi, où l'intérêt comparé que vous portiez aux prédateurs et aux proies s'est brusquement inversé.

Pour les lions, les pumas et les panthères, l'espace de présentation doit être suffisamment profond pour donner à l'animal une zone de repos hors de l'influence du public. Cette profondeur est de 7 m pour un lion. Elle peut être ramenée à 6 m pour un puma ou une panthère. Cet espace doit en outre être ensoleillé, posséder des abris contre les intempéries, des zones d'ombre dans lesquelles le fauve peut s'installer pour faire la sieste et se soustraire au regard des visiteurs. Il est muni soit de barreaux simples d'un espacement maximal de 7 cm, soit d'un treillis à mailles indéformables de 25 × 15 cm, soit d'un grillage à mailles de 10 × 10 cm.

Vous apprenez que chez les animaux, il existe une très grande variété d'organisations sociales et sexuelles. Le mâle ne part pas toujours à la chasse, la femelle n'attend pas toujours son retour, les petits ne sont pas toujours sous la protection des mères, les pères ne sont pas toujours indifférents, les couples ne restent pas toujours ensemble, le groupe n'est pas toujours un recours et une aide, les mâles ne se battent pas nécessairement pour monter la femelle, les femelles ne se battent pas nécessairement pour choisir le mâle, les mâles ne sont pas forcément dominants, les femelles ne sont pas forcément dominées, la menace ne vient pas toujours des ennemis, la vie n'est pas forcément un cadeau et il faut toujours se défendre.

Pour les pumas, les panthères et les lions, les cages d'isolement, cages intérieures individuelles prévues pour des utilisations temporaires, doivent être conçues de manière à ce que les animaux puissent se tenir debout, se tourner et se coucher. La température y est maintenue au-dessus de 10 °C, une aération par ouverture grillagée et un éclairage naturel atténué sont obligatoires.

Vous allez l'apprendre, c'est ce que vous apprenez en premier, il faut toujours se défendre. Vous vous défendez.

La découverte de la sexualité, vous ne l'avez pas faite in situ, mais par le biais d'un film sur la vie sauvage de Frédéric Rossif. Votre mère, qui savait votre goût pour les bêtes mais qui avait refusé de vous offrir l'animal familier que vous réclamiez, compensait ce refus en vous emmenant au cirque. Vous faisiez comme si ces efforts vous étaient indifférents et, de fait, vous détestiez ces roulements de tambour, ces moments de suspens, cette attente dont vous compreniez confusément qu'elle était morbide, le trapéziste allait-il rater la barre et s'effondrer au sol, le dompteur allait-il se faire dévorer par ses bêtes, l'écuyère écraser par un cheval au galop, tout cela vous rendait nerveuse et triste. Pour changer un peu la teneur de ces sorties pendant lesquelles vous pleuriez presque sans discontinuer, votre mère avait opté pour l'art cinématographique. Elle vous emmenait voir de grands films adaptés de Jules Verne, où des scientifiques à moitié fous traversaient d'immenses espaces déserts et défiaient la nature en inventant des machines improbables et très spectaculaires. C'est lors d'une de ces sorties que vous avez vu le film de Frédéric Rossif dans lequel de grands mammifères étaient filmés, soit pendant la chasse, soit pendant la période de rut. Vous avez appris en même temps qu'on tuait et qu'on copulait et pour la première fois vous avez vu les gestes, les mouvements, les cris, les rythmes. Le désir et la mort ont été exposés sous vos yeux avant que vous n'ayez la possibilité d'analyser et de décrypter l'effet fantastique et durable de ces images sur votre inconscient. Votre mère était vraiment désolée. Vous êtes retournée au cirque.

À la place des toiles peintes qui, il y a encore quelques années, tenaient lieu de végétation aux pensionnaires et flattaient surtout l'imagination des spectateurs, des programmes sur le bien-être des bêtes ont permis l'introduction de nouvelles plantations plus conformes aux lieux de naissance des uns et des autres ou aux lieux de naissance de leurs parents, grands-parents, arrière-grands-parents et bisaïeuls. Les bêtes vivent dans un environnement qui ressemble un peu plus à celui dans lequel vivaient leurs ancêtres ou dans lequel ils devraient vivre si tout était resté comme avant. Mais tout n'est pas resté comme avant. Certains s'en plaignent, d'autres s'en félicitent. Au lieu des tristes dalles de béton sur lesquelles les félins se cassaient les griffes quand ils voulaient enterrer leurs excréments, des écosols à base d'écorce de pin et de micro-organismes désinfectants ont été reconstitués, sols qui ne contredisent plus les instincts du félidé – depuis des générations, il gratte pour enfouir sa crotte – et évitent au soigneur l'usage quotidien d'eau de Javel pour le nettoyage.

Appliqués aux animaux, le retour en arrière, la reconstitution, la restitution, bref, l'état de nature, constituent des avancées. Le bien-être des captifs exige qu'on n'oublie pas leur passé.

Dans la nature, les animaux n'ont pas le temps de s'ennuyer. Ne pas mourir, se défendre, se cacher, se protéger et se nourrir exige une grande vigilance, de la promptitude, de la ruse, un sens de la prévision, toutes sortes de qualités que les animaux doivent déployer dès leur plus jeune âge et qui occupent entièrement leurs journées. Mais en captivité, l'éventail des activités possibles se réduit de manière drastique. Un ours qui passe habituellement huit heures par jour à chercher sa nourriture mettra dix minutes pour finir sa gamelle. Le reste du temps, il n'a rien à faire, sa cage est ronde alors il tourne en rond, il prend des gestes stéréotypés, il s'ennuie, si on ne veut pas qu'il dépérisse, il faut lui trouver quelque chose à faire.

Faute de retourner avec votre mère découvrir le sexe, la violence, la nature et la mort grâce à l'art cinématographique, vous regardez des feuilletons télévisés. Vous avez l'impression que rien ne vous arrive.

Pour éviter par exemple que les singes ne mangent trop vite leur ration, on cache la nourriture dans des cartons, des bouts de papier, des labyrinthes, de sorte que pour récupérer bananes et graines ils sont obligés de trouver des astuces, d'inventer toutes sortes de stratagèmes, d'employer divers outils qu'on met à leur disposition.

Vous regardez *Skippy*, *Daktari* ou *Flipper le dauphin*. Ces feuilletons télévisés racontent les aventures d'animaux sauvages apprivoisés par des hommes et vivant paisiblement dans leur voisinage. Mais braconniers, trafiquants d'armes, de fourrure ou de viande interfèrent sans cesse avec ce paradis, tentant de brûler la réserve, de mettre à sac le parc d'attractions, de voler et revendre certains des animaux les mieux dressés, voire de tuer les gardiens de ce temple. Heureusement un lion myope, un chimpanzé astucieux, un dauphin bavard et un kangourou bagarreur veillent pour le bonheur renouvelé des enfants qui, les jeudis après-midi, où il n'y a pas école, ont exceptionnellement le droit de regarder le petit écran pour rompre le long déroulement des heures vides. Si le paradis n'était pas menacé, on ne saurait même plus comment tuer le temps à tenter de le rétablir. Le jeudi après-midi, plus encore que les autres jours, vous vous ennuyez. L'ennui est pire que tout, pire que la mort.

Dans la nature, le bien-être coïncide avec un éphémère moment de satisfaction qui pourrait ressembler, si on cherchait à trouver des équivalents humains pour le qualifier, à la réalisation provisoire d'un objectif, conserver sa propre vie. Mais dans un zoo, les objectifs manquent. Tout captif doit, pour survivre à l'absurdité de son existence, s'inventer des objectifs précis et dépenser toute son énergie à leur réalisation. Il est important, dans cette perspective, qu'il se fixe des buts extrêmement difficiles mais pas impossibles à atteindre. La conservation du captif dans un état physique et moral satisfaisant est fonction de sa capacité à se projeter dans l'avenir.

Le personnage principal d'*Alligator*, un des dessins animés que vous regardez alors que vous avez largement passé l'âge de vous y intéresser, essaye toujours de s'échapper du zoo dans lequel il est hébergé. Pour ce faire, il marche résolument sur ses deux pattes arrière exactement comme s'il appartenait à l'espèce humaine et passe fièrement sous une grande pancarte fixée à deux piquets indiquant les limites du bâtiment. Il entre alors en clandestinité jusqu'à ce que les services de surveillance du zoo ne finissent, à la fin de chaque épisode, par le rattraper. Votre plaisir est double et quelque peu ambivalent. Vous êtes contente que l'alligator échappe momentanément à la surveillance de ses gardiens mais vous êtes soulagée de voir que feuilleton après feuilleton ses tentatives d'évasion se soldent par des échecs. Il ne faudrait pas que les animaux du zoo se fassent la belle et que la surveillance de leurs maîtres soit définitivement prise en défaut. Il n'y aurait alors plus aucune histoire à imaginer dans sa tête et il faudrait passer à l'action.

Pendant la période de mue des dromadaires, on a eu l'idée de récupérer de grosses touffes de poils, ou de prendre des packs de sang congelé venus des abattoirs. On dépose le tout dans les cages des fauves. Grâce à ces nouveautés, les fauves se portent beaucoup mieux, ils ont des odeurs à découvrir, ils sont stimulés, actifs, ils ont de quoi s'occuper.

Être bien nourri et bien logé a pour effet d'endormir nos sens.

Les moyens de transport prévus pour le déplacement des animaux doivent être conçus de manière à ce qu'ils disposent de suffisamment d'espace pour rester debout dans leur position naturelle. Conteneurs et équipements doivent en outre assurer un espace libre suffisant au-dessus de la tête des animaux, maintenir une qualité d'air appropriée à l'espèce déplacée, en particulier lorsque les animaux sont transportés dans des espaces entièrement clos. Ils doivent enfin être suffisamment solides pour supporter le poids des animaux, éviter qu'ils ne puissent s'en échapper ou tomber, résister aux contraintes dues aux mouvements et disposer de séparations rigides susceptibles de résister à l'agitation de bêtes qui, pour des raisons diverses, allant de la rage à l'incompréhension, ont tendance à se projeter violemment contre elles.

Dans la salle de bains, dans votre chambre, partout ailleurs, votre corps change en votre absence. Vous n'avez aucun moyen de voir l'évolution de votre taille, de vos traits, de vos formes, vos stations devant la glace sont minutées. Vous avez l'impression que l'espace qui vous est octroyé se réduit d'année en année alors que c'est seulement vos membres qui grandissent.

En 2008, la ménagerie de Vincennes a fermé ses portes. Les installations vétustes devaient absolument être rénovées. On avait déjà refait le faux Rocher aux singes, vaste et haute structure en béton et ciment entièrement évidée qui domine le zoo et en constitue en quelque sorte l'identité touristique, mais il y avait le reste. Il a fallu déménager tous les animaux, leur trouver de nouveaux hébergements, les déplacer par camions, bateaux et avions spécialement affrétés pour la circonstance. Ils ont été déplacés dans des caisses en bois pour l'aéroport du Bourget, direction l'Algérie, sauf les girafes, trop difficiles à transporter, et les deux hippopotames, qui ont refusé de partir. On les avait pourtant préparés à ce départ en les faisant journellement monter dans des caisses. On voulait éviter l'anesthésie, qui comporte un risque et augmente sensiblement le poids des animaux à transporter. Mais quand le jour du grand départ est arrivé, la femelle hippopotame a paniqué et a commencé à taper sur les barres. Le mâle l'a imitée et s'est agité à son tour. À force de coups et étant donné le poids des bêtes, les caisses risquaient d'être brisées, il a fallu interrompre le transfert.

On imagine la vie de ces girafes et hippopotames, seulement accompagnés de grues mécaniques et de bennes, en attente comme elles de nouvelles installations grâce auxquelles leur vie pourrait ressembler un peu plus à celle qu'ils avaient dans la nature, pour ceux, du moins, qui l'ont connue. La plupart de ces animaux sont en effet nés en captivité et n'ont aucune connaissance des savanes africaines.

L'idée que vous vous faites de votre corps est beaucoup plus vague que celle que vous vous faites du corps de certains animaux. Votre mère vous a pourtant offert un livre où on apprend techniquement comment s'opère la relation sexuelle, relation strictement limitée à la pénétration. Vous n'avez pas envie d'être pénétrée d'autant que, dans le livre en question, aucun lien n'apparaît entre la pénétration et le plaisir.

Depuis que l'État a refusé de financer la rénovation du zoo, un appel d'offre a bien été lancé mais les entreprises tardent à se porter candidates pour un établissement dont il est avéré qu'il ne rapportera pas assez d'argent même remis à neuf, pour couvrir les frais colossaux de rénovation. Le seul espoir, pour motiver les entreprises à investir, serait qu'un président de la République s'empare de ce projet et, après le musée des Arts premiers, le musée d'Art moderne et la Grande Bibliothèque, décide de donner son nom à ce chantier.

Dans les téléfilms que vous regardez avec vos parents, quand des garçons mettent leur corps sur le corps de filles en général beaucoup plus jeunes qu'eux, ils font presque tous le geste de mettre leur main sur la bouche de la fille comme pour l'empêcher de parler ou de crier. Vous demandez à votre mère la signification d'un tel geste. Celle-ci vous explique que les jeunes filles vont perdre leur virginité. Vous en concluez que perdre sa virginité conduit à pousser des cris que les garçons préfèrent ne pas entendre.

Maintenant, on n'a absolument pas le droit d'acheter des animaux mais y a pas si longtemps, quand on voulait monter un zoo, c'était simple, on s'adressait à un marchand à qui on disait exactement ce qu'on voulait, et il s'arrangeait pour nous les fournir. On a enlevé toute valeur marchande à l'animal pour éviter les trafics mais y a encore beaucoup de spécimens qui nous arrivent par la douane, ils sont saisis en fraude, la justice nous réquisitionne pour les accueillir. Quand on doit récupérer deux cent cinquante serpents et plusieurs crocodiles comme c'est arrivé dernièrement, vu la place dont on dispose ici, ça n'est pas toujours facile, en plus après on critique notre manière de présenter les animaux, l'exiguïté, le manque de superficie, mais on est musée d'État, on doit rendre ce service.

Aux conseils qu'on vous donne, aux demandes qu'on vous adresse, aux espoirs qu'on fonde sur vous et qui restent informulés, vous répondez le plus loyalement possible. Mais votre loyauté vous coûte et vous la faites payer par une légère exaspération, une certaine passivité et beaucoup d'inertie. Votre corps continue à changer.

Comme au cirque, le public des zoos est partagé entre la peur et le désir de voir un soigneur se faire dévorer en direct par les prédateurs. C'est pourquoi il se masse en nombre devant vitres ou grilles dès qu'une silhouette humaine pénètre dans la zone réservée aux bêtes, pénétration strictement réglementée et depuis quelques années quasiment interdite à la fois pour des raisons de sécurité et pour éviter ce qu'on appelle le phénomène d'imprégnation.

Votre mère renoue avec l'art cinématographique. Vous allez voir la première version de *King Kong* avec elle.

Si on veut qu'un orang-outan reste un orang-outan il faut interférer le moins possible, sinon on l'humanise. C'est vrai que c'est un peu frustrant pour le soigneur parce qu'il perd le contact direct avec les bêtes mais on a des consignes, on n'entre pas dans les cages, on n'essaye pas de les apprivoiser, on laisse une barrière, ils ne doivent pas oublier d'où ils viennent et qui ils sont.

Si vous étiez un singe, si vous étiez en captivité, si vous saviez que vous ne pourrez plus jamais sortir, vous voudriez peut-être qu'on vous rappelle l'histoire de vos ancêtres mais au bout de quelque temps, plutôt que de garder en vous cette inutile capacité de révolte destinée à rassurer les hommes sur leur bonne volonté, vous préféreriez oublier un passé qui ne vous servirait qu'à mesurer votre perte, vous préféreriez vous humaniser. Pour être moins malheureux, nous nous trahissons nous-mêmes.

King Kong raconte notre rapport fantasmé aux bêtes, fait à la fois de répugnance, de désir, de crainte, de fascination. Le gorille est beaucoup trop gros et trop fort pour vivre dans notre monde, on doit éliminer le gorille. Mais en l'éliminant, on découvre qu'on élimine aussi une partie de notre histoire et de nos origines, et on éprouve de la tristesse à voir ce grand corps poilu affaissé au pied de l'Empire State Building.

Un jour, y avait un petit orang-outan qui est arrivé directement de la douane et aucune femelle pour le nourrir, c'est vrai qu'à la nurserie on a pris un grand plaisir à lui donner le biberon et à le regarder grandir, et comme à l'époque la réglementation n'était pas très stricte j'ai même pensé à un moment le ramener à la maison et l'élever avec ma femme. Ce qui a été plus difficile, ça a été de lui apprendre à monter aux arbres et à se suspendre, au début le petit tombait tout le temps, dans ce domaine on n'avait pas vraiment de savoir-faire et il n'était pas toujours possible de le rattraper avant la chute.

Le problème avec *King Kong*, c'est que vous ne savez pas si vous devez vous identifier à la jeune fille blonde, qui, soit dit en passant, est lors d'une scène mémorable patiemment effeuillée par la bête jusqu'à quasi-nudité, au jeune amoureux qui la sauve des mains énormes du gorille ou au gorille lui-même transformé en animal de foire et attaché par d'énormes chaînes à une potence plus grande que lui. Vous n'osez pas interroger votre mère sur la fonction de l'identification dans l'art cinématographique.

Le but avoué des parcs animaliers est de perpétuer les espèces telles qu'elles sont et à terme de rendre possible leur réintroduction dans la nature. Il faut donc entretenir les instincts des animaux, reproduire en captivité leur mode de vie, leur apprendre à identifier l'espèce à laquelle ils appartiennent, éviter de les élever dans l'immédiate proximité des hommes. Il faut toutefois reconnaître que dans la plupart des cas la captivité a des conséquences directes et irréversibles sur le comportement des bêtes.

On peut déduire beaucoup de choses sur soi et son identité sexuelle du personnage – blonde, amoureux ou gorille ravisseur de femmes – auquel, dans *King Kong* et sans vraiment se l'avouer à soi-même, on s'identifie.

Malgré le caractère rudimentaire des effets spéciaux utilisés dans les années 30 pour représenter la bête, vous vous identifiez au gorille. Vous n'en dites rien à votre mère. Pour mentir, il faudrait parler.

L'imprégnation consiste à habituer un animal sauvage à la présence humaine depuis son plus jeune âge en le nourrissant à la main. L'animal prendra son nourricier pour sa mère, il intégrera l'image de l'espèce par laquelle il aura été élevé, il se prendra pour un homme. Si on l'oblige ensuite à partager la vie de ses congénères, il aura bien du mal à admettre la ressemblance entre eux et lui et les considérera comme des étrangers ou pire comme des ennemis.

Vous vous habituez à laisser votre chambre ouverte, vous n'éprouvez même plus le besoin de vous enfermer. Vous reconnaissez la mère en votre mère, en votre père le rival et l'ennemi, vous reproduisez les schémas, vous intégrez les fonctions, vous vous imprégnez.

Chaque fois qu'un nouveau remake du film *King Kong* est proposé à l'écran, on multiplie les effets spéciaux, de sorte que la bête, réduite dans les premières versions au statut de marionnette, se dote petit à petit d'une existence psychique plus complexe. À mesure que les bêtes disparaissent, le cinéma nous en propose des substituts grandioses, émouvants et quasi humains. L'humanité du gorille est le signe de sa disparition.

Vous n'aimez pas nécessairement ceux qui s'amourachent des blondes, et encore moins les ravisseurs de femmes. Mais quand le ravisseur est un gorille, vous êtes d'une indulgence coupable.

Les animaux doivent rester bien dans leur tête car on les utilise pour la reproduction intensive, ils servent à réapprovisionner la nature, il faut qu'il leur reste quelques trucs de l'époque, il ne faut pas trop les leur faire perdre. Pour les mammifères, on les sèvre un peu plus tôt pour que les femelles reviennent plus vite en chaleur, on enlève cet obstacle parce qu'on sait bien que si elles s'occupent des bébés elles ne vont pas revenir pleines, donc on écourte un peu, on gagne sur la durée pour obtenir de meilleurs résultats et avoir du rabe en nombre de spécimens.

Le soigneur est devenu un éleveur de bêtes. Il sépare les mères de leurs petits, non pour un bénéfice psychologique mais pour des impératifs de rentabilité. Il est en effet avéré que la maternité nuit à la sexualité.

Vous cessez d'exercer sur vous-même la moindre surveillance, vous n'avez pas envie de vous regarder dans la glace ni de voir votre corps changer, vous intégrez la contrainte, vous n'aimez pas les partenaires de votre espèce, vous vous imprégnez.

Le réapprovisionnement de la nature en bêtes sauvages nécessiterait qu'on les élève avant leur prochaine extinction mais l'élevage transforme considérablement les spécimens et rend parfois la reproduction, l'apprentissage et la transmission extrêmement difficiles. Nous sommes donc condamnés, soit à la disparition progressive des espèces, soit à la mise en circulation d'ours, de panthères et d'éléphants d'élevage destinés à rappeler à nos descendants quelques-uns des aspects perdus de la vie sauvage. Les animaux vivants seront bientôt des pièces de musée.

Une fois, alors que tout se passe magnifiquement et que vos parents vous considèrent déjà comme une adolescente modèle, vous vous révoltez. Vous apprenez à cette occasion qu'il est beaucoup plus efficace d'imposer sa volonté par une discrète mais profonde résistance que par les éclats de voix et la colère. Vous vous imprégnez.

Une femelle orang-outan vit avec sa mère jusqu'à l'âge de cinq ans et reste dans son entourage proche jusqu'à six ou sept ans, âge qui correspond à sa première portée. Elle ne quittera définitivement sa mère qu'après avoir appris auprès d'elle comment mettre bas et comment allaiter. Si la chaîne de l'apprentissage et de l'imitation est rompue, la femelle orang-outan ne saura pas élever son petit. Elle expulsera le nourrisson sans comprendre, ne s'intéressera pas à lui et, sans intervention humaine, le petit orang-outan mourra de faim en poussant des cris déchirants. On lui donnera le biberon sous l'œil de sa mère, en espérant que ce geste réitéré derrière une vitre de protection servira de leçon, de trace et de mémoire à une femelle qui a été privée de la sienne et qui renouvelle cette privation en gardant son nouveau-né à bonne distance d'elle.

Vous espérez qu'il ne vous faudra pas rester avec votre mère jusqu'à la naissance de votre premier enfant. En même temps, vous ne faites rien pour que les choses changent. Vous ne quittez votre chambre qu'à l'heure des repas. Vous ne fermez toujours pas votre porte, vous vous arrangez pour que tous vos gestes soient parfaitement contrôlés et qu'on ne puisse rien vous reprocher. Vous ne recevez aucune visite. Seuls les membres de votre famille entrent sur votre territoire. Vous vous imprégnez.

Comme je ne trouvais pas de solution pour que la femelle orang-outan apprenne à s'occuper de son petit après avoir mis bas, j'ai proposé de lui passer des films où une autre femelle allaiterait son nouveau-né. J'ai même pensé lui laisser le choix d'allumer ou non la télé afin qu'elle décide par elle-même des moments où elle serait prête à regarder l'émission enregistrée en boucle sur le poste. C'était tout à fait envisageable, on l'a déjà expérimenté avec les chimpanzés qui savent allumer les radios et mieux encore qui, si la réception est brouillée, tournent le bouton jusqu'à ce qu'une voix humaine soit parfaitement audible. Le cinéma, la radio et la télévision ont pour les singes comme pour les hommes des vertus pédagogiques.

Après le repas, vous restez devant le petit écran avec vos parents. Vous les laissez choisir les programmes que vous regardez sans même avoir envie de juger de leur qualité. Vous intensifiez votre passivité. Lentement mais sûrement, vous vous imprégnez.

Malgré les techniques de réintroduction dans la nature et d'émancipation progressive expérimentées par les chercheurs, l'animal imprégné aura beaucoup de difficultés à s'adapter à son environnement autrefois naturel, cherchera un partenaire sexuel autre qu'un individu de son espèce et, une fois arrivé à maturité sexuelle, aura tendance, au moment de la période de reproduction à attaquer l'homme qu'il appréhendera non comme un danger extérieur mais comme un rival.

Avant l'âge de seize ans, vous n'allez jamais au cinéma sans votre mère. Vous gardez les garçons à distance. Vous avez peu d'amis. Vous ne sortez que rarement du cercle familial. Vous êtes imprégnée.

Avec cette femelle, j'ai trente-cinq ans de vie commune, même entre humains c'est rare. Alors quand y a eu un problème, qu'il a fallu lui donner un médicament parce qu'elle était constipée comme une chèvre, c'est moi qu'on a appelé, j'ai ouvert la porte, je suis rentré, je lui ai donné son médicament à la cuillère, on a de petites montées d'adrénaline, c'est quand même une femelle orang-outan qui a déjà coupé la phalange d'un vétérinaire et qui a violemment mordu par deux fois ceux qui venaient la soigner, mais elle et moi on se connaît bien et on se respecte.

Plus l'animal apparaît comme dangereux, plus il est considéré. La reconnaissance de l'autre est un moyen pour pacifier le monde, surtout quand l'autre est déjà aliéné. Offrir à l'autre le sentiment de l'égalité est une ruse suprême pour le dominer.

Depuis que vous avez compris que la porte de votre chambre restera définitivement ouverte, que vos jeux d'enfant ont fait long feu, que vous ne partirez jamais avec les rennes après Noël, que le cinéma est un exutoire passager, que vous aimez trop votre mère, qu'aucun autre humain ne peut trouver grâce à vos yeux, que vous ne pouvez parler à personne, que votre famille vous protège, que vous ne voulez pas qu'elle vous protège mais que vous voulez être protégée, que vous voulez fermer la porte de votre chambre sans y parvenir, vous regardez le monde avec une certaine tristesse.

Il arrive qu'ils vous fassent la gueule, même si vous trouvez du plaisir à vous occuper d'eux ils ne peuvent pas vous sacquer, ils vous considèrent comme leur geôlier, avec les grands singes c'est terrible, ils crient, ils tapent partout, comme ils ne peuvent pas vous atteindre directement, ils ont appris à vous cracher dessus.

Toutes les réponses sont dans la nature. L'animal ne parle pas mais il répond, il y a une réponse de l'animal. La plupart du temps vous ne répondez rien, votre usage du silence se précise et s'affine. Vous attendez votre heure.

On vient de réussir à faire naître deux panthères longibandes en captivité. Ça a été très difficile parce que ce sont des animaux solitaires, ils ne vivent pas du tout en couple, dans la nature ils s'accouplent et ils se séparent immédiatement. Il fallait calculer au jour près les chaleurs des femelles, sinon, quand on mettait la femelle dans la cage, le mâle la tuait et au matin on retrouvait un cadavre. Du coup, on a cherché une autre solution. On a élevé ensemble deux petits, un mâle et une femelle, ils se sont habitués l'un à l'autre et quand ils ont été adultes on les a laissés ensemble dans la cage et ils se sont reproduits. C'est le premier couple de panthères que l'on connaisse, le premier qui élève ensemble ses petits.

Instinctivement, je me demande si ces deux petits élevés ensemble ne sont pas issus de la même portée. Et je regrette l'époque désormais lointaine où le mâle dévorait la femelle.

Vous ne savez pas si l'imprégnation est un soulagement ou une souffrance. Vous alternez entre la résistance et l'abandon, vous vous fabriquez des automatismes, vous évitez les réactions trop violentes, vous êtes imprégnée.

Ces derniers temps, on a été obligés de séparer en deux notre collection de singes à cause de l'agressivité entre les mâles. Sachant qu'il y a environ 10 % d'entrées et de sorties chaque année, il faut savoir gérer notre population. Et comme il n'y a plus de place, on a décidé de stériliser. On injecte des implants d'hormones aux mâles, ça devrait marcher d'ici quelques jours, le seul risque c'est que le comportement du mâle dominant soit modifié, que le sub-adulte prenne sa place et que la hiérarchie du groupe finisse par être complètement bouleversée.

L'intervention de l'homme pourrait faire disparaître la fonction de mâle dominant. On se demande pourquoi la pratique de l'implant n'est pas utilisée de manière systématique dans la contraception humaine.

Une fois, vous essayez d'appartenir à quelqu'un d'autre qu'à votre mère.

La réintroduction dans la nature d'espèces sauvages élevées en captivité a été pensée pour la conservation des espèces mais elle favorise aussi l'industrie du loisir et le commerce. Grâce au lâcher dans un environnement naturel d'individus préalablement capturés sur leur lieu de vie, on peut par exemple favoriser la chasse, en assurant au chasseur une plus grande sécurité et un plus grand pourcentage de réussite. Le chasseur sait exactement dans quel périmètre sa proie a été lâchée, périmètre qui est parfois clos afin d'éviter que l'animal ne puisse lui échapper. Pour augmenter encore ses chances de réussite, il arrive aussi qu'on drogue les proies avant de les libérer. Enfin, leur capture préalable a permis de les imprégner et de les habituer à la présence humaine, de sorte qu'au moment où le tireur muni de sa carabine surgit d'un fourré, les animaux autrefois prédateurs n'ont plus le réflexe de fuir ou d'attaquer. De cette manière, le tireur éprouve les plaisirs de la chasse sans les inconvénients habituellement inhérents à cette activité.

Pour trouver la personne que vous voulez introduire dans votre chambre, il vous faut sortir un peu, apprendre la patience, l'affût, les méthodes d'approche, la capture et la prise. Dans ce domaine, vous êtes une novice.

Les chercheurs ont réussi à mettre au point des techniques d'insémination artificielle sur certains animaux sauvages. Cela évite, pour les expériences et études qu'ils veulent réaliser, de prélever des individus dans la nature. Il existe par exemple d'énormes élevages d'outardes, un oiseau quasi exterminé dans les pays d'Europe. Ces élevages, pour la plupart établis au Maroc, produisent environ cent mille spécimens par an. Une fois pondues, les jeunes outardes sont ramenées dans les zones tempérées où elles font pendant une période précise et rigoureusement réglementée la joie des chasseurs. Grâce à la science, la chasse n'est plus en danger.

Votre première tentative pour échapper à votre mère dure exactement dix-huit mois. Durant cette période, vous fréquentez assidûment un jeune homme de votre âge qui a été recueilli à l'âge de douze ans par une famille d'adoption et qui a peu de chances de revoir un jour son père et sa mère biologiques.

Par définition, les animaux sauvages n'appartiennent à personne. Pourtant, ont peut, dans certaines circonstances, en faire l'acquisition. Par exemple, moyennant une autorisation spéciale, il est possible de détenir, de transporter et d'utiliser des rapaces pour l'exercice de la chasse au vol. L'autorisation se présente, pour chaque oiseau détenu, sous la forme d'une carte validée annuellement comportant, outre les indications relatives à l'identité du bénéficiaire, celles relatives à l'identification des oiseaux concernés.

L'humain a droit à une identité, l'oiseau à une identification. Les termes de la loi décident de la distinction entre l'homme et les bêtes.

Le jeune homme que vous fréquentez ne parle pas très bien le français et il a oublié sa langue maternelle. Quand il reçoit des lettres de sa mère, il n'arrive pas à déchiffrer ce qu'elle lui écrit et il n'ose pas demander l'aide d'un interprète. Vous ne lui êtes d'aucun secours, vous ne pouvez pas traduire les lettres, vous ne parlez pas la langue de sa mère. En revanche, vous parlez bien la langue de la vôtre et vous l'employez avec une constance et une régularité que rien ne peut troubler.

Sont interdits sur le territoire la mutilation, la destruction, la capture, l'enlèvement ou la naturalisation des hamsters communs, des loups, des lynx d'Europe et des ours, ainsi que leur transport, leur colportage, leur vente ou leur achat, qu'ils soient vivants ou morts.

Toute loi a pour fonction de rappeler les principes de séparation et de distinction qui ont été à l'origine de la création, d'en atténuer la violence implicite, de circonscrire exactement nos gestes de défense, de rage et de domination, de refaire la barrière des espèces en plaçant d'un côté les bénéficiaires et de l'autre les contrevenants.

Votre affection pour le jeune homme grandit, vous allez prochainement l'inviter dans votre chambre et affronter le risque de voir votre porte s'ouvrir au moment où votre corps touchera le sien. À force de vous concentrer sur ce moment et sur ce risque, vous oubliez que ce rapprochement est surtout destiné à vous procurer du plaisir.

Sont interdits l'importation sous tous régimes douaniers, à l'exception du transit de frontière à frontière sans rupture de charge et du régime du perfectionnement actif, le colportage, la mise en vente, la vente ou l'achat de toutes les espèces d'oiseaux non domestiques considérées comme gibier dont la chasse est autorisée. Ces dispositions sont applicables aux produits issus de ces espèces, notamment aux pâtés et conserves, ainsi qu'à leur nid et à leurs œufs. À titre transitoire, sont autorisés l'importation sous tous régimes douaniers du merle noir (*Turdus merula*) et des grives (*Turdus pilaris*) à l'état frais ou congelé.

Le jeune homme avec qui vous aimeriez vous enfermer dans votre chambre s'entend mal avec sa famille d'adoption. Alors qu'il perd le souvenir de la langue de son pays, il découvre que deux de ses cousins sont installés en région parisienne, il les appelle, les voit de plus en plus régulièrement et réapprend à lire les lettres de sa mère. Vous continuez à vous exprimer en français mais vos paroles sonnent pour lui comme une langue étrangère.

Les animaux, on les capture de moins en moins, du coup c'est plus difficile d'apprendre le geste. Les singes, c'était deux fois par semaine, maintenant c'est deux fois par an, le coup de patte, c'est plus le même. Le mettre dans l'épuisette ça va encore mais le faire rester dedans c'est une autre paire de manches. Et quand on doit s'y coller, on n'est pas des cow-boys, même s'il y a quelque chose d'excitant dans la perspective du corps-à-corps, on a plus d'appréhension qu'avant.

Vous essayez d'appartenir au jeune homme que vous aimez mais au lieu de tomber sous sa coupe comme vous l'espériez, vous vous mettez à lui donner des ordres. Vous continuez à ne pas vous enfermer dans votre chambre et en plus vous vous détestez.

Vous cachez soigneusement à vos parents l'existence du jeune homme que vous aimez, les liens que vous avez avec lui ainsi que son pays d'origine. Vous vous doutez que le silence est votre seul espace de liberté.

Dans les Pyrénées, les éleveurs de bétail ne pratiquent pas la capture mais la chasse, ils tuent les loups malgré les interdictions, ils en chopent un, ils le pendent bien en vue sur une éminence et si les autres loups s'avisent de continuer à boulotter chèvres et moutons, ils recommencent l'opération jusqu'à obtenir gain de cause par intimidation.

On ne sait si le loup a la même conception que nous de l'exemple mais il est sûr qu'imaginer son cadavre se balançant sous la lune au bout d'une corde a pour vertu de nous faire froid dans le dos, à nous les hommes.

Vous voudriez être quelqu'un d'autre mais vous ne savez pas comment vous y prendre.

Quant à être vous-même, c'est une entreprise qui vous semble au-dessus de vos forces.

On n'a pas le droit de posséder chez soi un pistolet hypodermique, c'est une arme de sixième catégorie, donc au début, on se forme tout seul en s'entraînant sur des bottes de paille ou des boîtes en polystyrène. Comme on projette une seringue, même si c'est juste de l'air comprimé, il vaut mieux ne pas rater sa cible, et c'est pas simple parce que la trajectoire est parabolique et l'animal qu'on flèche se trouve la plupart du temps au milieu du troupeau.

Vous essayez de vous contenir, de manifester le moins possible, d'être parfaitement lisse, de ne donner aucune prise. C'est la première fois de votre vie que vous aimez vraiment quelqu'un d'autre que votre mère.

Avant, on ne savait pas anesthésier les animaux, on ne connaissait pas les doses, le lion, pour le soigner, il fallait le faire entrer de force dans un sabot de capture, une sorte de caisse, et comme il ne voulait pas y aller, on le piégeait, on lui faisait peur, on mettait sa bouffe au fond et dès qu'il y allait, clac on refermait la trappe derrière lui, la caisse avait des parois mobiles, on les resserrait petit à petit jusqu'à ce qu'il ne puisse absolument plus bouger, ensuite on le piquait à travers les barreaux, c'était pas agréable, il était complètement terrorisé.

Le jeune homme que vous fréquentez quitte sa famille d'adoption sans prévenir. Vous restez plusieurs jours sans nouvelles de lui. Votre inquiétude grandit et vous trahit. Vous l'aimez. Vous expliquez vos sentiments à votre mère qui n'apprécie guère que vous vous entichiez d'un garçon aussi exotique. Entre elle et lui, il vous faut choisir.

La contention et la capture sont les moments les plus délicats. Si c'est un python, un monstre de cinq mètres de long et quatre-vingt-cinq kilos, il faut être très prudent, on le chope derrière la tête, aussitôt il essaye de s'enrouler et si on le laisse faire il peut vous péter les os ou vous étouffer, donc on y va à quatre ou cinq et on le tient mètre par mètre pour qu'il n'ait pas la possibilité de nous attraper.

Le jeune homme que vous aimez s'installe seul dans une chambre au-dessus d'un restaurant. Il ne vous donne pas sa nouvelle adresse, fait la plonge au lieu de finir ses études. Vous mettez du temps à retrouver sa trace et quand vous la retrouvez, vous comprenez qu'il a cherché à vous échapper.

Si c'est une grue, on la saisit manu militari et on porte des lunettes parce que quand on l'empoigne elle vise les yeux. Pour les rapaces et les autres oiseaux, on utilise l'épuisette, il en existe cinq ou six sortes en fonction de la taille et du poids de l'animal, on met l'oiseau dedans et on le rabat au sol.

Le jeune homme que vous êtes maintenant sûre d'aimer vous évite. Vous essayez vaille que vaille de renouer avec lui. Vous n'êtes pas suffisamment convaincante et en plus on vous surveille.

On pratiquait aussi la contention par épuisette avec les singes. Mais depuis qu'on a mis en évidence qu'ils étaient porteurs de maladies extrêmement proches de celles de l'homme, en gros depuis le HIV, on ne les approche pas sans gants, on évite les captures à l'épuisette et on les flèche systématiquement.

Grâce au soigneur, vous découvrez que s'identifier à un grand gorille n'est pas une absurdité biologique. Vous vous sentez prête à revoir *King Kong* avec le jeune homme que vous aimez, vous le lui proposez, il préfère les nouveautés cinématographiques.

La grippe aviaire nous a obligés à vacciner tous les oiseaux de nos volières. Trois cent soixante oiseaux appartenant à plus de quatre-vingts espèces ont été capturés plusieurs fois de suite. Prises de sang, vaccin proprement dit et rappel se sont succédé en un temps record. On a fait deux équipes et on a attaqué les vautours, les rapaces et les flamants à la main. On est redevenus des spécialistes de la capture mais au début il y a eu des accrocs. On a attrapé notre stock de quarante flamants, ils ont de grosses pattes, il faut leur tenir le cou tout en rabattant les ailes, à un moment donné j'en ai serré un sans doute trop brutalement, j'ai entendu crac, c'est l'aile qui avait pété. J'ai pété une aile à un de mes oiseaux. Et quand un flamant rose a une aile cassée, on ne peut plus rien en faire, il faut l'euthanasier. J'ai mis trois jours à m'en remettre.

Vos relations avec le jeune homme s'épuisent. Vous n'arrivez pas à vous libérer. Vous êtes fragile, vulnérable, incapable de vivre en harmonie avec vos semblables hors du cercle familial. L'imprégnation a eu des effets irréversibles.

La nuit vous savez qu'il y a peu de chances que vos parents entrent dans votre chambre. Même si vous ne fermez pas la porte de peur de devoir vous expliquer sur ce geste, vous avez loisir de penser à ce que votre vie pourrait être si vos parents étaient morts. Vous pensez à la mort de vos parents. Vous imaginez les sentiments que vous éprouveriez, l'enchevêtrement des démarches à accomplir, des gestes à réaliser, des apprentissages à faire. Vous ne savez pas si vous êtes abattue en raison de l'idée même de cette mort et de son caractère inéluctable ou si votre abattement vient plutôt du sentiment que vous avez de ne pas être en mesure, à votre âge, d'en supporter les conséquences vertigineuses. Vous n'êtes pas encore prête à la mort de vos parents.

À la ménagerie, on a une tortue qui a environ cent quarante ans, aujourd'hui c'est sans doute la plus vieille tortue du monde, elle fait deux cent cinquante kilos. Elle a une grande valeur scientifique et sentimentale, et quand elle mourra, j'espère le plus tard possible, on mettra dans le *Livre des records* qu'une tortue peut vivre jusque-là, plus de cent quarante ans, vous vous rendez compte.

Vous luttez contre vous-même et vous tâchez d'aller de l'avant. Mais quand le jeune homme que vous aimez vous propose de passer un peu de temps dans sa chambre, au-dessus du restaurant où il fait la plonge, vous trouvez mille prétextes pour ne pas vous y rendre. Comme il insiste, vous cédez, vous allez chez lui, vous échangez avec votre amoureux des caresses maladroites, vous n'avez aucun naturel, aucune intuition, aucun allant, vous ne savez rien de l'amour physique. Vous êtes imprégnée.

L'un des principaux critères d'acceptation d'une méthode d'euthanasie (principe de la mort douce) du point de vue de l'éthique est l'inhibition précoce du système nerveux central, qui assure une insensibilité immédiate à la douleur, et doit être suivi d'un arrêt cardiaque et respiratoire. C'est pour cette raison qu'on recommande souvent les méthodes pharmaceutiques. Cependant, l'emploi de substances pharmaceutiques oblige à assurer une élimination convenable de la carcasse contaminée.

Vous perdez à nouveau la trace du jeune homme que vous aimez. Vous ne dormez plus, vous ne lisez plus, vous ne mangez plus, vous fuyez les programmes de télévision que vous regardiez pour leur vertu anesthésiante, vous en voulez à vos parents, vous regrettez le temps où vous pouviez imaginer partir avec les rennes après Noël. Vous ne connaissez aucun moyen de vous échapper. Vous êtes imprégnée.

Le caractère acceptable de telle ou telle euthanasie tient à la fois au bon fonctionnement du matériel utilisé et à la compétence de la personne chargée de l'opération. La luxation cervicale est acceptable chez les petits rongeurs. Elle évite la contamination des tissus par des produits chimiques, ne nécessite aucun matériel particulier et conduit à une perte de conscience très rapide de la victime.

Au mois de juin, le jeune homme que vous aimez se pend. Vous l'apprenez par un de ses camarades de classe. Pendant plusieurs semaines, vous ne dites rien à vos parents. Vous craignez de lire du soulagement sur leurs visages.

L'image la plus forte qui m'est restée, c'est la mort de l'éléphant, en 1976, un an et demi après mon arrivée ici. Je l'ai soigné, je l'ai côtoyé et on l'a aidé à mourir parce qu'il avait des souffrances atroces, il ne pouvait plus marcher. Un soir, on l'a fléché à distance pour l'endormir et ensuite on lui a injecté un produit à la seringue, il a fallu lui en mettre un litre. Et quand on est revenus le lendemain pour l'emmener, c'était avant l'ouverture, il faisait encore nuit, il était là, assis, appuyé à la grille, comme quand on les fait monter sur les tabourets dans les cirques, il était mort assis, cette image je ne la sortirai jamais de ma tête, c'est resté gravé et ça restera tout le temps.

Quand vous annoncez la mauvaise nouvelle à votre mère, elle vous prend dans ses bras dans l'espoir de vous consoler. Vous vous refusez à sa caresse.

Ici, on a des élevages de lapins, de souris, de cochons d'Inde, d'insectes. On les élève et quand on en a besoin pour nos animaux, on les tue. Moi, ça ne me choque pas plus que ça de donner des proies vivantes aux prédateurs encagés ici mais ça ne se fait plus. Alors c'est nous qui tuons. On a une sorte de chambre à gaz. On n'emploiera pas le mot parce que c'est rien, c'est juste une boîte dans laquelle on met les rats et quand c'est prêt on branche le tuyau, on ouvre le gaz, on compte jusqu'à 15, on attend, ça ne bouge plus, c'est bon, on les sort.

Vous reprenez peu à peu l'habitude d'aller au cinéma avec votre mère. Vous la laissez choisir le film, le jour, l'heure et la salle, vous n'émettez aucun avis, vous ne vous émerveillez pas, ne vous énervez pas, ne vous emportez pas, ne commentez pas, c'est votre manière de vous venger. Vous vous absentez.

Le monoxyde de carbone (CO) est un gaz incolore, inodore et difficile à détecter. Provenant de l'échappement du gaz de combustion des moteurs, il contient des impuretés et peut être dommageable pour les autres animaux et les humains qui sont exposés à ses vapeurs. Même si les animaux à qui on en administre ne semblent pas être en détresse, on lui préfère le dioxyde de carbone (CO_2), non explosif et très abordable. Toutefois, il faut vérifier précisément sa concentration pour s'assurer qu'il produit une narcose. En effet, à basse concentration, le gaz carbonique augmente le taux de ventilation et provoque une détresse respiratoire. À la concentration de 40 %, il produit une anesthésie qui se manifeste lentement, accompagnée d'excitation. Il ne convient pas aux espèces qui retiennent leur respiration (animaux plongeurs) ou dont la fréquence respiratoire n'est pas très élevée (amphibiens et reptiles). Il n'est pas non plus recommandé dans le cas de nouveau-nés ayant vécu avant la parturition dans un milieu où les niveaux d'oxygène sont bas. Pour cette raison, les animaux nouveau-nés doivent être laissés dans les chambres à gaz carbonique au moins une demi-heure après que tous les mouvements ont cessé.

Au début, votre mère choisit des films pour enfant, comme si cela pouvait atténuer votre douleur de jeune fille. Vous voyez *Dersou Ouzala*, l'histoire d'un trappeur qui vit seul dans la taïga, aux confins de la Sibérie et de la Chine. Vous repensez à l'époque où il vous paraissait possible de suivre les rennes après Noël, vous constatez que vous n'auriez pas pu partir seule, que la nature exige de l'ingéniosité et de l'adresse, vous vous sentez plus dépendante encore que dans votre enfance, votre imagination est moins fertile, votre détermination moins grande, votre capacité de résistance s'abîme. Vous vous vengez par le silence. Vous vous absentez.

On est choqués par la mort des rats et des souris mais si on donne à manger des vers de terre, des escargots, même des poissons, aux animaux de la ménagerie, ça ne vient à l'idée de personne que c'est éthiquement discutable alors qu'ils servent de proies et de nourriture au même titre que les autres.

Vous partez encore en vacances avec vos parents au lieu d'organiser des voyages avec des camarades de votre âge. De toute façon, vous n'avez pas de camarades. Vous suivez vos parents, vous mangez avec eux, vous visitez les sites qu'ils visitent, vous vous baignez là où ils se baignent. Malgré votre docilité ou à cause d'elle, vous mettez mal à l'aise les gens que vos parents rencontrent sur place et avec qui ils aimeraient discuter. Vous êtes opaque, fermée. Vous vous vengez par l'inertie et le silence. Vous vous absentez.

Il arrive que des groupes d'intervention pour la libération des animaux fassent des incursions remarquées dans les parcs animaliers ou aux alentours. Le 15 juin 2009 à Nantes, une dizaine d'hommes, le visage recouvert de grossiers masques de chiens, ont fait irruption à proximité d'un site où des loups étaient en résidence provisoire. Le collectif a arrosé la salle de tracts sur lesquels on pouvait lire : «Nous sommes revenus. Ne croyez pas qu'on puisse ainsi brûler un rêve. Vous avez cru pouvoir faire un détour, mais ça vous rattrape, ça vous saisit à la gorge. Le pont-levis est relevé, mais les murailles sont fissurées.» Le texte est menaçant, la tension entre le nous et le vous patente même si au final il s'agit bien de rappeler que nous sommes tous dans la même galère. On remercie le collectif mais c'est une chose dont on se doutait déjà.

En général, votre mère choisit des films qui n'interfèrent pas avec le sexe, la mort ou la douleur d'être en vie, mais il arrive qu'elle emprunte de mauvaises pistes. Après *King Kong*, *La Vie sauvage* et *Dersou Ouzala*, vous voyez *L'Homme blessé* de Patrice Chéreau, autre manière de découvrir la sexualité dans les toilettes publiques de la gare du Nord. Sans doute une erreur de votre mère qui n'a pas dû bien consulter le résumé de l'intrigue avant de vous emmener. Vous ne faites aucun commentaire sur ce que vous voyez à ses côtés, vous apprenez qu'on peut être à la fois ensemble et séparés.

Ceux qui ont décidé d'élever chez eux un serpent de grande taille doivent penser à lui fournir les proies dont il a besoin pour vivre. Les souris et les rats sont les aliments recommandés, souris et rats que l'on peut acheter congelés sur le marché. On ne doit jamais utiliser le micro-ondes pour la décongélation des proies. Pour chaque repas, il faut sortir l'un des cadavres de son congélateur, le déposer dans un récipient contenant de l'eau chaude. Un rosé sera décongelé en deux à trois minutes, un adulte peut demander deux bonnes heures. Pour s'assurer que la décongélation est effective, il suffit de palper le rat. Si des sensations de froid ou de dureté persistent quand on prend l'animal en main, c'est que l'immersion dans l'eau chaude n'a pas été assez longue. La proie décongelée doit ensuite être placée pendant quelques secondes sous une lampe à incandescence qui la réchauffera juste avant le repas. Il est recommandé de l'essuyer avec une serviette pour la débarrasser du trop-plein d'eau dans le poil. Il faut en effet, pour que le serpent accepte de l'absorber, qu'elle soit la plus proche possible de la température corporelle d'un rat vivant.

Ce n'est que beaucoup plus tard que vous voyez un film qui vous éclaire définitivement sur votre sexualité, un film en noir et blanc, mystérieux, fulgurant, intrigant et pathétique.

Vous vous engagez dans des études sans plus jamais parler du jeune homme que vous avez aimé, sans prononcer son nom, sans relire ses lettres, vous faites comme si ces événements n'avaient eu aucun impact sur votre vie, ne modifiaient en rien votre avenir. Vous vous absentez.

Pour démarrer un jeune oiseau qui vient de naître, on doit le nourrir de petits ratons juste nés. On prend les ratons dans l'élevage, on les passe au broyeur. Le matin à jeun c'est pas terrible, mais il faut le faire donc on le fait. Moi, je ne suis pas végétarien et je considère que pour manger de la viande, je dois la mériter, je dois être capable de tuer un animal, de le dépecer.

Le soir, vous dînez en famille sans manifester d'émotion particulière et sans en éprouver. Vous apprenez qu'on peut être ensemble et séparés. Vous expérimentez la stupeur. Vous vous absentez.

On essaye dans le recrutement d'équilibrer les phobies des uns et des autres, ceux qui ne veulent pas toucher les serpents, ceux qui ont peur des araignées, ceux qui ne peuvent pas mettre les rats dans la boîte, ceux qui n'ont pas le courage de les broyer. Y a des gens qui refusent de le faire. Il ne faut pas les forcer.

Votre hébétude est passagère, du moins c'est ce que croient vos parents, c'est ce que tout le monde croit, c'est ce que vous croyez vous-même. Vous vous absentez.

Avant, quand je travaillais dans le Sud, y avait un camion frigorifique de l'entreprise qui s'arrêtait sur une aire d'autoroute juste avant Toulon et qui approvisionnait tous les zoos et les cirques de la région. Ils avaient un contrat avec les abattoirs et récupéraient les poulets, l'arrière des vaches, les abats, je me souviens du ballet des camionnettes qui s'arrêtaient là, au milieu de rien, pour récupérer la viande, c'était surréaliste.

Vous ne sentez rien, vous ne pensez rien, vous vivez en somnambule, vous avez l'impression d'être libre, d'être seule, d'être au-dessus du lot, d'être à la pointe, d'être insensible, d'être détachée, de vous tenir éloignée, vous mangez, vous dormez, vous étudiez, vous êtes calme, vous êtes posée, vous êtes sensée, vous ne parlez pas, vous ne pleurez pas, vous ne souffrez pas, vous ne menacez pas, vous ne vous mettez pas en colère, vous vous préparez à une intégration facile et sans douleur dans le monde des adultes. Vous apprenez lentement qu'on peut être ensemble et séparés.

Heureusement, ici, on a une entreprise spécialisée à qui on achète des cartons de poussins congelés. C'est une entreprise qui conditionne tout ce dont les zoos ont besoin, le soigneur n'a plus à découper lui-même la viande récupérée dans les abattoirs et déclarée impropre à la consommation, il fait les commandes à ce grossiste, et les cadavres de rats, de souris, de poussins, la viande conditionnée en boulettes, l'entreprise peut tout nous fournir.

Vous ne bronchez pas, vous ne soufflez pas, vous ne râlez pas, vous lisez, vous écrivez, vous remplissez des copies, vous passez des examens et des concours, vous étudiez sans effort, vous êtes à côté, derrière, sur le bord, vous êtes vague, vous êtes légère, vous êtes insaisissable, vous êtes nonchalante, vous traversez l'existence comme s'il s'agissait d'un nuage, d'une fine buée, d'une matière cotonneuse et sans résistance, vous vivez en somnambule, vous êtes anesthésiée, vous êtes endormie, vous êtes assommée, rien ne peut vous réveiller. Vous apprenez qu'on peut être ensemble et séparés. Vous vous absentez.

Ophiophobie, Musophobie, ornithophobie ou arachnophobie sont des phobies spécifiques que la psychanalyse explique comme des phénomènes de projections et de déplacements. Au lieu de se fixer sur un objet significatif aimé et haï (le père), le sujet déplace ses affects sur un objet moins significatif (le rat, l'araignée ou le serpent).

Quoi qu'il en soit des relations qu'un soigneur entretient avec ses parents, il devra pouvoir capturer un serpent récalcitrant, replacer une araignée dans un terrarium ou décongeler des poussins pour nourrir de jeunes rapaces. C'est précisément la thérapie recommandée par les comportementalistes : il faut exposer le patient à l'objet redouté de manière dosée et progressive. Le problème au zoo, c'est qu'il est difficile d'organiser l'entretien des animaux en fonction du traitement thérapeutique du personnel.

Vous découvrez que, contrairement à ce que vous disent les spécialistes des animaux en captivité, l'ennui n'est pas pire que la mort. Il en constitue la forme lente, la lente mesure d'un temps qu'on ne sait utiliser parce qu'on n'a pas appris à penser par soi-même, à agir par soi-même, à sentir par soi-même, à souffrir par soi-même, à vivre par soi-même. On s'ennuie de ne pas être indépendant et de ne voir devant soi aucun moyen de le devenir. En captivité, l'imagination s'épuise.

III

Vous aimez les animaux mais au bout d'un moment vous cessez d'y penser, vous cessez d'exiger un compagnon vivant, poilu et fidèle, vous cessez de fixer votre colère sur le refus de vos parents et sur la frustration qu'elle engendre. Vous vous habituez à ne pas avoir ce que vous voulez ou alors d'autres frustrations, plus irritantes et plus profondes, surviennent.

Moi, je fais partie de ceux qui ont toujours eu un très bon contact avec les animaux, quelque chose d'immédiat qui me portait vers l'animalité, et par ailleurs je m'intéressais beaucoup aux sciences naturelles et à la connaissance du vivant, donc je me suis orienté vers la biologie, j'ai eu un parcours tout à fait classique.

Vous pensiez que les gens qui travaillaient sur les animaux ne parlaient pas de leur amour des bêtes. Vous pensiez que l'amour était réservé à ceux qui ne touchaient pas, n'expérimentaient pas, ne faisaient pas le commerce et l'usage et l'élevage et l'abattage des animaux. Vous pensiez que l'amour était un luxe et un plaisir réservés à ceux qui admiraient les bêtes de loin ou en possédaient des domestiques.

Après avoir quitté le lycée pour entamer des études supérieures, vous ne revenez pas en arrière, ni ne gardez de liens avec les camarades que vous fréquentiez. Vous décidez de commencer une vie nouvelle, de garder pour vous seule ce qui a précédé, de n'y faire aucune allusion, de ménager en vous des espaces clos entre lesquels il sera impossible de communiquer, de séparer, de distinguer, de couper.

La première contradiction est philosophique. On expérimente sur l'animal parce qu'il est proche de nous et en même temps on considère qu'il est suffisamment différent pour l'utiliser dans les expériences. Et la seconde est personnelle, en général les gens comme moi ont fait de la biologie parce qu'ils aimaient les animaux et le métier nous amène à les traiter sans ménagement, il faut s'y faire. Ce n'est que tardivement que j'ai commencé à interroger ma pratique, au départ, j'ai eu un parcours tout à fait classique.

L'établissement dans lequel vous étudiez est relativement éloigné de votre domicile. Cela vous permet de prendre du recul, d'élaborer des stratégies de retrait, de construire des barrières de protection, des digues, des palissades, des fortifications, des remparts. Vous vous repliez, vous vous cachez, vous vous séparez, vous vous absentez, vous expérimentez le silence. Vous vous préparez.

L'éthique, c'est compliqué parce qu'il y a une projection anthropomorphique très forte sur les animaux familiers, mais en même temps statistiquement le nombre d'animaux utilisés dans les expériences est très faible par rapport au nombre de ceux qu'on mange. Dans notre vie, pour l'ensemble des pratiques de recherche, ça représente environ une souris et demie et la moitié d'un rat.

Suite à la découverte de ces données statistiques, je vois ma vie défiler sous la forme d'un rongeur coupé en deux, dont une moitié a été sacrifiée pour ma santé et l'autre pour la santé de l'un de mes proches. Si je meurs jeune, le nombre de bêtes qu'on aura utilisées pour moi sera peut-être un nombre entier. J'aurai au moins la consolation de n'avoir pas été responsable du tronçonnage systématique des rats de laboratoire.

Vous passez de plus en plus de temps loin de chez vous, vous rencontrez des étudiants avec qui vous allez au café, vous manifestez, vous discutez, vous échangez, vous lisez. Mais, bien que vous soyez persuadée du contraire, votre éloignement ne modifie pas les relations exclusives que vous entretenez avec votre mère. Vous êtes contaminée.

Dans les animaleries de recherche, les risques que présentent les animaux utilisés peuvent être classés en deux groupes distincts. Soit ils proviennent des animaux eux-mêmes porteurs de leurs propres contaminants, qui dans certains cas (appelés zoonoses) sont transmissibles à l'homme. Soit les risques résultent de la manipulation et de l'inoculation à des animaux de laboratoire correctement soignés et parfaitement sains d'agents pathogènes. L'expérimentation exige une gestion du risque. L'homme court en effet un danger qu'il doit être capable de mesurer à inoculer à des animaux toutes sortes de maladies mortelles.

Vous éprouvez des sentiments confus à l'égard de divers jeunes gens de votre entourage mais pour une raison que vous n'arrivez pas à comprendre votre corps ne s'éveille que partiellement aux fougueux désirs dont on vous parle et qui sont si fréquemment représentés dans les livres et les films que vous aimez. Vous vous sentez seule, vous vous sentez décalée, vous vous sentez endormie, engourdie, contrainte, malade, infirme. Vous êtes contaminée.

Les animaleries sont classées en quatre types qui correspondent à quatre groupes de pathogènes. Dans le groupe 1, on trouve les agents biologiques non susceptibles de provoquer une maladie chez l'homme. Le groupe 2 réunit les agents biologiques qui peuvent constituer un danger pour l'homme mais pour lesquels la propagation dans la collectivité est peu probable. Dans le groupe 3 sont classés les agents biologiques pouvant provoquer une maladie grave chez l'homme. Il existe un traitement ou une prophylaxie efficaces mais la propagation dans la collectivité est possible. Dans le groupe 4 ont été rassemblés les agents biologiques les plus dangereux, qui provoquent des maladies graves, ont de fortes chances de se propager et pour lesquels il n'existe ni traitement ni prophylaxie.

Pour réussir à se prémunir des dangers de la contamination créés par l'inoculation de maladies graves à des animaux de laboratoire, il faut être sûr que la barrière mentale et psychologique entre les hommes et les bêtes soit infranchissable. Et quand elle ne l'est pas, il faut trouver des moyens pour qu'elle le devienne.

Votre corps et votre esprit vivent deux vies parallèles. Alors que vos connaissances s'épanouissent et se diversifient, vous persistez dans l'ignorance physique de vous-même. Vous êtes hébétée, abasourdie, inattentive, distraite, absente, sourde et aveugle. Vous vous oubliez.

On crée des modèles en laboratoire, par exemple des modèles de souris obèses, de rats privés de sucre, de macaques qui ont Parkinson ou de babouins avec sclérose en plaques, mais cela ne signifie pas qu'on maltraite les animaux, on réalise les chirurgies exactement dans les mêmes conditions que la chirurgie humaine, on les intube, on les anesthésie en gazeuse, on leur administre des antalgiques et des antibiotiques, on est très attentifs au matériel dans la mesure où, pour obtenir de bons résultats scientifiques, il faut que l'animal reste en bon état, qu'il bénéficie d'un réveil harmonieux, qu'il ne souffre pas, qu'il n'ait pas d'infection, c'est le seul moyen pour qu'il développe tranquillement sa pathologie.

Vous aussi, vous développez tranquillement votre pathologie mais à aucun moment vous ne vous sentez atteinte de maladie, de mélancolie ou de neurasthénie. Vous ne vous préoccupez pas de ce qui se passe en vous, de la manière dont vous écartez tout ce qui vous gêne. Vous vous oubliez.

Vous allez voir *La Féline* de Jacques Tourneur avec des amis de votre âge qui, comme vous, aiment les vieux films américains en noir et blanc. On y suit l'histoire d'une femme d'origine serbe qui vit aux États-Unis, rencontre un Américain bien élevé et l'épouse. Apparemment, un film que vous auriez très bien pu voir avec votre mère.

Pour chaque type d'animalerie (classée de A1 à A4), des installations de confinement conformes aux risques de contamination doivent être prévues. Les locaux confinés sont toujours séparés des autres locaux. La zone est obligatoirement maintenue en surpression avec double sas d'entrée et asservissement des portes. Pour les animaleries de type 2 ou 3, le local est de surcroît signalé par un pictogramme indiquant : « danger biologique ». Des oculus sont percés dans les portes pour faciliter l'observation des pièces confinées. On prévoira la fermeture hermétique des locaux pour désinfection terminale.

La Féline de Jacques Tourneur, à l'affiche en 1942, s'ouvre sur l'image d'une cage dans laquelle une magnifique panthère noire tourne de gauche à droite et de droite à gauche sans s'arrêter. La première fois que vous voyez le film, vous ne comprenez pas ce qui vous retient et vous attire. Vous regardez sans réfléchir, sans vous éveiller. Rien ne vous alerte. Vous vous êtes trop longtemps oubliée.

J'ai commencé comme tout le monde par des expériences sur les grenouilles décérébrées, c'est nous qui décérébrions, c'est très rapide, on introduit un stylet dans la nuque de l'animal et on détruit le cerveau. Ça n'est pas agréable mais y a tout un discours de justification autour, la recherche l'impose, c'est une bonne action, on améliore l'espèce humaine. Et comme je suis un aîné, les tests psychologiques montrent que les aînés sont beaucoup plus conformes au moule que les seconds, et donc moi, j'ai adopté le moule, j'ai fait ce qu'on m'a dit, j'ai un parcours très classique.

Dans *La Féline* de Jacques Tourneur, film que vous voyez sans votre mère, Irena Doubrovna, le personnage principal joué par Simone Simon, invite Mister Reed à boire le thé chez elle dès leur première rencontre. C'est extrêmement inconvenant, il faut l'admettre, mais on peut pardonner à une Serbe de ne pas connaître les coutumes américaines. Mister Reed et Irena Doubrovna montent l'étage qui les sépare de l'appartement de la jeune femme. Vous espérez que l'entrée de Mister Reed dans l'immeuble signera le début de leur vie sexuelle. Vous vous trompez. Au lieu de voir la scène impatiemment attendue, où par exemple Mister Reed prendrait cette jeune femme mystérieuse dans ses bras, rien. Une ellipse étonnante vous coupe le souffle.

La contamination entre les animaux et les hommes, c'est souvent plus compliqué qu'on ne croit et si on ne prend pas des précautions strictes, ça peut déclencher de véritables catastrophes sanitaires. Le sida par exemple, c'est l'histoire de gens qui chassent sur des chantiers de brousse, qui tuent des chimpanzés porteurs du HIV pour les manger et qui sont contaminés par le virus parce qu'ils se sont écorchés en dépeçant les bêtes. Pour vous dire qu'une épidémie de cette ampleur a pour origine un événement extrêmement marginal qu'on n'a pas su circonscrire et interpréter.

«La nuit est tombée sans que je m'en aperçoive», dit Irena Doubrovna dans le plan suivant. Vous ne savez pas si elle s'adresse à Mister Reed, assis sur le canapé, ou à la spectatrice que vous êtes, enfoncée dans son siège et encore frissonnante, surprise, déçue, presque furieuse que le désir entre Reed et Irena n'ait pas pris une forme tangible. Mais dans ce film, le désir ne prend jamais une forme tangible ou quand il la prend, il est déjà trop tard. Indubitablement, un film que vous auriez pu voir avec votre mère, pensez-vous en soupirant.

Dans une animalerie de laboratoire, la distinction entre la vie de l'animal avant intervention (zone sale) et la vie de l'animal pendant et après intervention (zone propre) est primordiale si on veut éviter que nourriture, urine, excrément, poils, renvois, salive ou parasites n'interfèrent avec les résultats d'une expérience donnée. Le protocole d'une contamination exige l'établissement de normes précises et le choix de matériels de qualité. Tout faux pas mettrait en péril la survie du personnel et, en cas de fuite des agents pathogènes utilisés, d'une partie de l'espèce humaine.

C'est dans la deuxième scène de *La Féline* que les allusions sexuelles se précisent. Finalement vous trouvez qu'il vaut mieux, pour la tension dramatique et la qualité du film, que le sexe reste objet de discours et qu'il n'y ait aucun passage à l'acte. C'est sans doute ce que votre mère aurait pensé. Vous vous surprenez à penser comme elle. Vous êtes prise au piège. Vous cherchez les moyens de vous libérer. Vous vous préparez.

Le confinement est assuré par l'utilisation d'enceintes ventilées presque fermées. Ces enceintes ou Postes de sécurité microbiologiques (PSM) assurent la protection du manipulateur par une aspiration créée à l'avant du plan de travail. Elles constituent ainsi une barrière immatérielle entre le manipulateur et la manipulation. De plus, elles assurent la protection du produit manipulé contre la contamination à l'aide d'un flux d'air unidirectionnel vertical descendant, passant par un filtre d'air. La contamination peut en effet aussi bien provenir de l'atmosphère du laboratoire que d'autres produits manipulés simultanément.

Dans le vocabulaire réglementaire et scientifique, le «produit manipulé», la «fourniture» ou le «matériel» peuvent aussi bien désigner des objets manufacturés que des êtres vivants réduits à l'état de cobaye.

Lors de la seconde visite de Reed chez Irena, la jeune femme, à genoux aux pieds de son ami américain, lui fredonne à voix basse «Dodo l'enfant do», berceuse qui habituellement sert plutôt à endormir les enfants qu'à exciter son amant. Vous en concluez qu'elle confond l'amour maternel avec un autre type d'amour, plus conforme à l'âge et au sexe des deux protagonistes. *La Féline*, vous vous en rendez compte, ne vous permettra pas d'échapper à votre mère.

Dans les manuels sur les procédures d'inoculation d'agents pathogènes aux animaux, seuls sont décrits les locaux autoclaves, les sas chimiques, les opérations de stérilisation, les flux de matériel, les surfaces de dégagement, les zones de stockage, les zones propres, les zones sales, les ruptures de confinement et les produits de nettoyage. En revanche, il n'est fait aucune mention des animaux utilisés, ni dans les textes ni dans les illustrations qui habituellement les accompagnent, comme si la présence du vivant pouvait gêner le fonctionnement d'un établissement entièrement mécanisé, informatisé, industrialisé et déshumanisé.

Avant de se marier avec Mister Reed, Irena Doubrovna avoue à son futur époux qu'elle éprouve toutes sortes de craintes et de phobies transmises de mère en fille depuis des temps immémoriaux. Une vieille légende de son pays raconte en effet que si elle couche avec un homme, elle se métamorphosera en panthère. Irena se sent écartelée entre deux désirs irréconciliables, dont aucun ne lui appartient en propre : le désir de se marier et le désir de rester fidèle à son passé. Vous vous sentez comme Irena Doubrovna, incapable de vous déterminer. Vous êtes prise au piège.

La Ligue française des droits de l'animal milite pour que les animaux aient droit au respect. Dans cet ordre d'idées, elle propose qu'on fasse évoluer le vocabulaire scientifique afin de sensibiliser les chercheurs eux-mêmes aux problèmes éthiques posés par l'expérimentation. Elle demande que dans les publications scientifiques, les animaux ne soient plus mentionnés dans la rubrique classique de «matériel» mais soient intégrés dans une nouvelle rubrique intitulée «modèles biologiques».

J'avais un collègue qui travaillait sur les chats, ce qui est assez rare, et pour voir l'influence de l'activité sensorielle sur la digestion, il les munissait d'une canule gastrique et les installait sur une sorte de hamac. Il les posait sur le ventre, leurs pattes pendouillaient au-dessus du plan de travail et il recueillait les sucs gastriques par la canule après les avoir stimulés avec des images et des odeurs, bref, un protocole de travail qui aurait pu paraître insupportable au grand public. Eh bien, les chats en question, au lieu de craindre le moment où on les posait sur les hamacs, se battaient pour aller sur le plan de travail. Ils savaient qu'au terme de l'expérience on leur donnerait des bonnes choses à manger.

On se fait beaucoup d'idées fausses sur l'expérimentation, les images cauchemardesques qui sont véhiculées sont souvent bien loin du réel. C'est très difficile de savoir si les animaux sont bien en cage mais il y en a qui sont beaucoup moins stressés que dans la nature, ils n'ont plus de prédateurs, pas de problèmes de nourriture, ils vont visiblement mieux que s'ils étaient laissés à eux-mêmes.

De peur de subir toutes sortes de réprimandes, vous suivez à la lettre les recommandations de vos parents. Vous ne vous mettez jamais nue au lit avec un homme pour ne pas tomber enceinte, pour ne pas être attaquée dans la rue vous ne rentrez jamais après minuit, l'heure limite fixée par vos parents à vos sorties nocturnes. Le monde est plein de chausse-trappes et de dangers. Vous vous oubliez.

Dans les expériences d'inoculation d'agents pathogènes à des animaux de laboratoire, la contamination par voie cutanée peut intervenir si le tissu cutané est atteint ou abîmé. C'est le cas par exemple suite à des griffures ou morsures d'animaux, à des égratignures par de la verrerie contaminée ou encore à des coupures dues aux instruments chirurgicaux lors d'interventions sur les animaux vivants ou morts.

Mister Reed ne croit pas que sa femme se métamorphosera en panthère et le tuera. «Vous êtes Irena. Vous vivez en Amérique. Vous m'aimez, moi, un simple Américain, vous m'épouserez et vous raconterez ces contes de fées à nos enfants.» Les spectateurs de 1942 espèrent sans doute qu'Irena va se marier, entrer dans le rang et tirer un trait sur ses peurs ancestrales. Vous vous mettez à penser comme eux. Vous ne croyez plus ni aux contes de fées, ni à la fuite des rennes après Noël. Vous essayez de vous tranquilliser. Vous vous oubliez.

Avec les singes, on pratique le conditionne-ment, ça consiste à entraîner les primates pendant trois ou quatre mois à attraper des objets disposés dans de petites fentes sur une planche, ils aiment beaucoup ça parce que la planche est garnie de friandises et ils attrapent les objets le plus vite possible. C'est un boulot d'enfer, il faut les entraîner tous les jours, leur apprendre à sortir de leur cage par eux-mêmes, à venir dans la chaise de travail de leur propre gré, à y rester en prévoyant une contention partielle, parce que sinon au bout de cinq minutes ils se grattent le cul et ils s'en vont ailleurs.

Mister Reed aurait dû être plus circonspect. Il aurait dû se douter que chanter une berceuse à l'homme que l'on prétend aimer n'est pas un signe de bonne santé. Mais Mister Reed est un Américain sympathique, ouvert, prêt à embrasser et pénétrer une jolie femme d'origine serbe dès lors que le mariage est célébré. Le mariage sert en effet à copuler en toute impunité et avec le consentement de tous, il constitue un moyen efficace pour juguler définitivement ses fantasmes, pour leur donner une forme convenue, assagie, régulière, pour éviter de se faire peur à soi-même. Vous adhérez aux choix de Mister Reed, vous n'avez pas envie d'avoir peur, de sortir du rang, de quitter les voies toutes tracées. Vous vous oubliez.

Une fois bien entraînés, les singes atteignent une vitesse d'exécution maximale. Quand elle est atteinte, on pratique une lésion sur la partie cervicale de leur moelle épinière, lésion qui va altérer les mouvements fins de l'une de leurs mains. Après, on voit avec quel délai le singe récupère spontanément ses capacités en comparant les vitesses d'exécution avec la main droite (lésée) et la main gauche (intacte) sachant que les singes, contrairement aux humains, sont ambidextres. Et ensuite on peut greffer des cellules thérapeutiques pour voir si la récupération est plus rapide.

Soigner consiste à trouver le remède à un mal qu'on a soi-même, au préalable, inoculé.

Après vous avoir transmis la peur de l'autre, vos parents vous expliquent que vous êtes trop sauvage et vous enjoignent de vivre en société. Pour vous corriger, ils vous proposent de vous mettre en contact avec des humains préalablement sélectionnés par leurs soins, inoffensifs et bien intentionnés. Dans la plupart des cas, vous refusez la thérapie qu'on cherche à vous prescrire. Vous vous préparez.

Dans l'apprentissage des souris, on utilise deux renforcements, le positif et le négatif. Le positif consiste à affamer la souris et à ne lui donner une boulette de nourriture que si elle a correctement effectué les tâches qu'on veut lui voir effectuer. Quant au renforcement négatif, il consiste à utiliser le choc électrique pour créer chez la souris une aversion quelconque. C'est le principe de la punition et de la récompense, sachant que la punition est beaucoup plus efficace même si ça n'est pas agréable du tout d'électrocuter les souris, parfois le choc est trop fort, elles crient, certaines meurent, elles se collent sur les barres et prennent tout le jus, il faut dire aussi qu'il y en a qui ne sont pas très malignes.

Pour éviter toute explication, dispute, affrontement, dommages collatéraux, vous ne transgressez jamais les règles qui vous ont été fixées et parfois même vous en restreignez l'étendue pour être certaine de ne pas être prise en défaut. Par exemple, non seulement vous ne vous mettez pas nue dans le lit d'un garçon mais vous vous arrangez pour ne pas même être seule et habillée dans sa chambre. Vous vous oubliez.

Le conditionnement consiste à apprendre à un animal donné à faire ce qu'on lui demande sans avoir besoin de le torturer et comme s'il agissait de son plein gré. C'est un travail d'apprentissage long et difficile que le manipulateur préfère, de loin, à l'usage de la violence et des coups. Personne n'aime avoir le rôle du méchant.

Vous ne sortez jamais du cadre, vous rentrez aux heures fixées. Votre obéissance endort la vigilance de vos parents, vous pourriez très bien profiter de la confiance qu'ils ont en vous pour les trahir. Vous vous préparez.

Contre l'enfermement systématique des animaux et des hommes, certains collectifs ont décidé de passer à l'action. Le 27 juin 2009 à Nantes, des hommes vêtus de noir, le visage recouvert de masques, ont fait irruption dans les locaux où la décision d'exposer quelques loups avait été prise. Ils ont brisé des verres et du mobilier, ont jeté au sol et projeté sur les murs des bouteilles contenant du goudron liquide. Après cette violente intervention, ils ont quitté les lieux en exigeant la libération conjointe des hommes et des bêtes. Aucune indication précise n'était donnée sur la manière d'assurer cette double libération.

À mesure que *La Féline* se déroule, vous constatez qu'une vie tranquille et rangée ne vaudra rien au personnage principal. Il serait peut-être préférable pour elle de sortir ses griffes et de s'attaquer violemment à tous les prédateurs sexuels qui tournent autour d'elle. Vous êtes plongée dans la perplexité, vous n'arrivez pas à savoir si vous souhaitez qu'Irena Doubrovna consomme son mariage avec Mister Reed ou si vous préféreriez qu'elle lui échappe et se métamorphose en bête fauve. Votre propre incertitude vous inquiète. Vous avez peur de ne pas être suffisamment conditionnée. Vous essayez de vous maîtriser.

Les primates sont des animaux très destructeurs. Dans les animaleries où se pratiquent des expériences sur les singes, les cages doivent être composées de parois lisses, sans prise, résistantes aux lavages répétés par un laveur haute pression. La mise en place de faïence sur toute la hauteur et de joints époxy permet de satisfaire à ces contraintes.

Dès que le mariage est célébré, Mister Reed constate que les relations sexuelles qu'il comptait immédiatement nouer avec sa jeune épouse sont compromises. Irena se refuse à lui avec gentillesse mais fermeté. Après avoir espéré assister à des scènes torrides entre Reed et Irena, vous espérez que la métamorphose dont Irena a si peur aura lieu avant la fin du film. Votre attente, vos espoirs, vos désirs ont changé, sans que vous n'ayez une conscience claire de cette révolution en cours. Vous vous préparez.

Les sols des enclos, caniveaux et conduites d'évacuation, sont réalisés dans des matériaux nettoyables. Les carreaux en grès cérame, carrelages avec sous-couche d'étanchéité de dimension suffisante pour limiter les joints, plinthes à gorge arrondie, surfaces traitées avec des pentes de 1 % vers des siphons en inox sont particulièrement recommandés pour assurer l'évacuation des purins et des eaux résiduaires.

Chaque fois qu'Irena Doubrovna se refuse à son mari, Mister Reed, vous êtes à la fois triste et soulagée. Vous avez l'intuition qu'il vaut mieux ne pas en parler, vous continuez votre existence dans le silence, l'hébétude et la cécité, cela ne vous empêche nullement de donner le change, de fréquenter des jeunes gens de votre âge en prenant soin de rentrer chaque nuit au domicile familial. Vous vous retenez.

Pour la souffrance, on s'imagine des choses incroyables mais il faut savoir qu'un lapin par exemple, qui est un animal craintif, si vous le prenez et le couchez sur le dos, ce qu'on peut faire facilement quand on a appris à manipuler les animaux, vous pouvez lui étendre les pattes et réaliser des ponctions de sang intracardiaque, direct dans le cœur, sans que l'animal ne bouge ni n'émette un son. Nous, on ne pourrait pas nous planter une aiguille dans le cœur sans anesthésie, la douleur serait trop intense, comme quoi les situations, les réactions et les physiologies ne sont pas forcément comparables.

Vous n'avez pas mal, vous n'êtes pas triste, vous n'êtes pas déprimée ou nostalgique ou affectée, vous ne pensez pas au jeune homme que vous avez aimé et qui s'est pendu dans sa chambre, vous avancez avec une régularité de métronome, de robot, d'automate, vous n'avez aucune conscience de vos propres émotions, aucune écoute, aucun retour, vous êtes hébétée, engourdie, sourde, aveugle. Vous vous retenez.

J'ai d'abord travaillé avec des planaires, ce sont de petits vers plats qui vivent sous les rochers des rivières non polluées. J'en avais fait venir des États-Unis mais je n'ai pas réussi à les avoir, elles sont arrivées mortes, elles n'ont pas résisté au transport, du coup, celles sur lesquelles j'ai travaillé, je suis allé les pêcher moi-même dans les rivières françaises, j'ai eu beaucoup de succès auprès des locaux avec mes cuissardes et mes récipients, j'avais mes propres animaux, ce n'est pas très courant mais beaucoup plus pratique, et pour la reproduction il suffit de couper une planaire en deux, ça donne deux planaires.

Vous évitez de penser à la mort, vous évitez de penser au désir, vous évitez de penser au lien qui s'établit entre les deux, vous mangez, vous dormez, vous parlez, vous plaisantez, vous souriez, vous étudiez avec une constance et une régularité à toute épreuve, rien ne vous gêne, rien ne vous arrête, rien ne vous étonne, rien ne vous subjugue, rien ne vous désarme, rien ne vous affaiblit, vous maîtrisez tout, vous contrôlez tout, vous surveillez tout, vous vous retenez.

Les militants de la cause animale sont responsables de diverses violences visant les chercheurs de l'université de Californie (UCLA) qui font des expériences sur les animaux. En juin 2006, une bouteille incendiaire a été lancée dans le jardin d'une maison du quartier de Bel Air à Los Angeles. Les incendiaires qui souhaitaient toucher le domicile d'un psychiatre de l'université de Californie s'étaient trompés d'adresse. Heureusement, aucun incendie ne s'est déclaré. En juin 2007, une nouvelle bouteille incendiaire visait la voiture d'un autre chercheur mais l'engin n'a pas explosé. En octobre 2007, la maison d'un spécialiste des addictions à la nicotine a été vandalisée. En juin 2008, une camionnette appartenant à l'université UCLA a été endommagée par le jet d'un cocktail Molotov. En novembre 2008, un véhicule a été détruit et deux autres gravement endommagés dans une attaque orchestrée par les défenseurs des droits des animaux qui ont revendiqué l'attentat et proclamé avoir visé la maison d'un chercheur de l'université UCLA qui faisait des expérimentations animales. La police a déclaré que les militants s'étaient trompés de cible. En Californie, les militants de la cause animale sont prêts à mener des actions violentes mais leur matériel reste encore artisanal et ils auraient besoin de faire l'acquisition de GPS de haute qualité pour atteindre avec certitude ceux qu'ils visent.

«Les félins me tourmentent. La nuit, je reste éveillée et leurs pas murmurent dans ma tête. Je ne connais pas de repos, car ils sont en moi.» Vous vous répétez inlassablement cette phrase, prononcée par Irena Doubrovna dans *La Féline*. Ils sont en moi. Et vous savez que chaque spectateur peut projeter sur ce pronom «ils» les forces diverses qui le pressent, le compriment, le conditionnent, et dont, malgré ses résistances ou ses tentatives d'émancipation, il dépend. Vous étouffez.

Le professeur McConnell a montré que certaines propriétés acquises peuvent se transmettre d'un animal à l'autre, même chez les invertébrés. Par exemple, on apprend à une planaire à se contracter à la lumière, on la conditionne par des chocs électriques. Une fois la propriété acquise, on la hache menu, on la donne à manger à une autre planaire et on constate que la planaire cannibale acquiert la propriété de se contracter à la lumière beaucoup plus vite que la planaire victime. On en conclut qu'une propriété acquise s'est transmise par l'ingestion de cellules, autrement dit grâce au cannibalisme.

La Féline ne vous a ouvert les yeux ni sur les forces qui vous retiennent ni sur la manière dont elles se transmettent. Vous ne pensez pas au jeune homme que vous avez aimé et qui s'est pendu dans sa chambre, vous n'êtes ni triste, ni passionnée, ni furieuse, ni exaltée, vous restez à distance des autres et de vous-même, vous n'écoutez pas vos émotions, vous les enfouissez, vous les étouffez, vous les niez. Même si vous avez l'intuition qu'il vous faut quitter votre mère, vous vous retenez.

Tous les animaux ne sont pas équivalents. Les vertébrés et les pieuvres sont des animaux plus évolués, ils ont des émotions. On n'est pas sûrs que les insectes aient des émotions, on n'en sait rien mais on pense que ce sont des automates génétiques. Ce qui est scientifique, c'est que pour son espèce même, la vie d'une fourmi n'a pas le même sens que la vie d'un bélier, il y a une évolution vers l'individuation, certains animaux sont plus individués et sont pourvus d'un système limbique, c'est-à-dire un système nerveux capable de produire des perceptions émotives. Il est clair que le besoin et le sens de l'individuation d'un ver de terre n'est pas le même que celui d'un chimpanzé, il y a une hiérarchie qui est liée au mode de fonctionnement des animaux en tant qu'espèce. Les droits des animaux doivent tenir compte de cette hiérarchie. Autrement dit, ce n'est pas la même chose d'arracher les ailes d'une mouche et de couper les membres d'un mammifère.

Après vous être identifiée à un gorille ravisseur de femmes, vous vous identifiez à Simone Simon, une étrangère qui a peur de se transformer en féline. Vous vous préparez.

Les locaux où sont hébergés les animaux doivent impérativement être insonorisés, surtout si l'animalerie est construite à proximité des laboratoires ou de toute autre structure accueillant du personnel. Les animaux peuvent en effet être bruyants d'autant qu'ils sont maintenus à plusieurs dans des cages.

À un moment de doute et d'incertitude, vous vous sentez aussi prisonnière que la féline mais votre prison n'a pas de nom, pas d'épaisseur, pas d'étendue, pas de volume, pas d'odeur, pas d'entrée et pas de sortie. Comme disent les biologiques, la situation est anxiogène.

On peut construire des modèles qui permettent de mesurer le lien entre anxiété et équilibre. Pour cela, il faut créer de l'anxiété chez la souris, soit en l'enfermant dans une boîte noire, soit en l'installant dans ce qu'on appelle une boîte de contention, un récipient transparent pourvu de petits trous grâce auquel la souris est dans l'impossibilité de se mouvoir. On crée ainsi une population donnée de souris anxieuses. Après les avoir affamées, on fait marcher deux populations de souris, les anxieuses et les autres, sur des barres qui tournent, sachant que si les souris réussissent à marcher sur cette barre elles obtiennent au bout une récompense. On a pu montrer que la population de souris anxieuses dérape et tombe de la barre alors que la population de souris non anxieuses réussit à marcher sur la barre jusqu'à la boulette de nourriture.

Corriger les injustices naturelles aurait plutôt consisté à donner de la nourriture aux souris anxieuses pour compenser ce qu'on venait de leur faire subir. La recherche scientifique exige une suspension du jugement.

Pour manifester à Irena son amour, Mister Reed veut lui offrir un animal domestique. Il entre avec elle dans une petite animalerie de centre-ville, tous les animaux s'agitent dans leur cage, s'affolent, hurlent comme s'ils étaient menacés de mort. Mais quand Irena sort du magasin, les animaux immédiatement se calment. Vous êtes presque soulagée : la métamorphose d'Irena Doubrovna en féline est imminente.

Avec les rats, on peut faire le même genre d'expérience qu'avec des planaires. On entraîne les rats à avoir une aversion de l'obscurité d'une manière extrêmement simple. On leur propose le choix entre une boîte translucide et une boîte noire et chaque fois qu'ils s'installent dans la boîte noire, on leur envoie une décharge électrique. Quand le rat a acquis l'aversion de l'obscurité, on le tue, on broie son cerveau, on en tire des extraits qu'on injecte à de nouveaux rats. On constate que les rats injectés acquièrent l'aversion de l'obscurité beaucoup plus rapidement que leurs congénères non injectés. On en conclut qu'il existe une molécule susceptible de transmettre la peur de l'obscurité.

La recherche en biologie montre qu'on peut isoler diverses molécules porteuses de la peur du noir, de la volonté de se contracter, de l'anxiété ou du stress. On aimerait que certaines molécules favorisent des apprentissages plus joyeux.

Irena Doubrovna donne des signes de faiblesse. En passant sa main aux longs ongles peints dans la cage d'un petit canari offert par son mari, Mister Reed, elle le tue par inadvertance, maladresse ou instinct. C'est sans doute cet instinct fatal qui la conduit à offrir le cadavre de son oiseau de compagnie à la panthère noire du zoo voisin qu'elle vient admirer de plus en plus régulièrement et qui tourne inlassablement dans sa cage. Vous êtes presque soulagée : la métamorphose d'Irena Doubrovna en féline est imminente.

La recherche fondamentale permet parfois de faire des découvertes inattendues et déterminantes. Par exemple, un chercheur qui travaillait sur le chant des canaris et qui voulait comprendre pourquoi certains canaris mâles chantaient toute l'année, alors que d'autres ne chantaient qu'au moment de la parade nuptiale, a réalisé diverses interventions et greffes sur ces deux groupes de canaris. Il s'est rendu compte que le canari qui chantait par intermittence subissait une grosse diminution de neurones dans la zone du cortex qui régule le chant après la période nuptiale, et qu'à l'époque de la parade nuptiale suivante, un grand nombre de neurones étaient réapparus. Il a découvert ainsi qu'il y avait quelque part dans le cortex une zone germinative, et c'est comme ça qu'il a pu mettre en évidence l'existence de cellules souches. La recherche peut mener beaucoup plus loin que l'étude du chant des oiseaux ne l'aurait laissé supposer.

Irena Doubrovna est jalouse. Quand elle constate que son mari reste un peu trop longtemps au travail, la nuit, en compagnie de sa collègue de bureau, elle ne peut s'empêcher de se glisser dans l'entreprise et, sous une forme qui n'est habituellement pas la sienne, de poursuivre, menacer, voire attaquer celle qui risque de prendre sa place auprès de son cher époux. Vous espérez de tout cœur qu'Irena s'épargnera à elle-même la douleur de tuer sa rivale. Et que Mister Reed sera assez fort pour ne pas exiger de sa femme qu'elle couche avec lui. En même temps, vous êtes presque soulagée : la métamorphose d'Irena Doubrovna en féline est imminente.

En Californie, les militants en faveur de la cause animale deviennent plus offensifs, plus précis et donc plus dangereux. Le 22 avril 2009, ils s'en sont pris à J. David Jentsch, qui travaille sur la schizophrénie et l'addiction aux drogues à partir d'expériences sur les singes verts. Cette fois-ci, ils ont réussi à incendier sa Volvo garée à proximité de son domicile à Westside (Los Angeles). J. David Jentsch, qui appartient à l'organisation «UCLA pro-Test», a déclaré que l'abandon des expérimentations animales serait une catastrophe pour la recherche fondamentale et pour les applications à la santé humaine. Mais quand ce scientifique a décidé de lutter, d'autres refusent de témoigner et se cachent. C'est le cas d'un autre chercheur d'UCLA dont on taira ici le nom, qui, après avoir été harcelé pendant des mois et avoir reçu des menaces, a décidé de renoncer à ses travaux par peur des représailles et a envoyé un mail aux associations pour la libération des animaux dans lequel on pouvait lire : vous avez gagné.

Un jour, vous oubliez l'heure limite à laquelle vous devez absolument rentrer au domicile familial. Vous arrivez après minuit, vos parents vous attendent sur le pas de la porte. Pour détendre l'atmosphère, vous leur faites remarquer que vous ne vous êtes pas encore métamorphosée.

Quand un poussin naît, comme tous les oiseaux nidifuges, il doit apprendre dès les premières heures de la vie à suivre sa mère, sinon il est tué et mangé par des rapaces ou des renards. C'est ce qu'on appelle le comportement de poursuite. En laboratoire, on a travaillé sur l'empreinte, c'est-à-dire sur l'apprentissage très précoce de ce comportement. On a fait éclore des poussins dans des incubateurs, on a dormi sur des lits de camp pour être sûrs d'être là à leur naissance. Parce qu'il faut commencer le travail avec eux exactement seize heures après leur éclosion, sinon il est trop tard. On leur apprend à suivre des ballons colorés en mouvement plutôt que leur mère. Et on a montré que les poussins à qui on avait injecté certaines molécules apprennent plus vite que les autres à substituer un ballon à leur génitrice naturelle, bref, qu'il y a des molécules qui améliorent l'apprentissage.

Malgré votre désir de sortir du giron familial, apprendre à suivre des ballons en mouvement au lieu de suivre votre mère ne vous paraît pas constituer un progrès suffisant pour que vous vous prêtiez à ce type d'expérience. Il vous faut trouver un autre moyen pour vous séparer de votre mère.

À cette histoire d'empreinte, j'ajouterai l'existence d'une empreinte sexuelle. Le poussin mâle parvenu à l'âge adulte recherchera comme partenaire sexuel des objets qui ressemblent à l'objet qu'il a suivi dans le stade précoce de son évolution. Donc, si on s'arrange pour que le poussin suive des ballons au lieu de sa mère, il aura tendance à l'âge adulte à chercher à s'accoupler avec un ballon. À partir de là, d'éminents psychanalystes ont pu dire que le même type de comportement était repérable chez les hommes qui cherchent parfois à s'accoupler, non pas exactement avec leur mère, mais avec une femme qui lui ressemble.

L'histoire ne dit rien de la vie sexuelle, à l'âge adulte, des poussins et enfants femelles qui, pour échapper aux prédateurs qui les menacent, ont sans doute tout autant que les mâles appris à suivre leur mère.

Irena Doubrovna vit absolument seule en Amérique. Mais il lui arrive, à l'occasion, de reconnaître dans la silhouette d'une femme croisée au hasard un être familier. Comme tous les autres spectateurs, vous admirez à l'écran le visage étrange et félin de cette femme de passage, le regard intense qu'elle porte à Irena, vous écoutez les mots bizarres, incompréhensibles et séduisants qu'elle lui adresse, mots par lesquels elle signe son appartenance et l'appartenance d'Irena Doubrovna à l'univers diabolique des femmes-panthères. Tu es ma sœur, tu es ma sœur, dit-elle dans une langue qui sonne comme du serbo-croate ou du moldave. Vous lisez la traduction dans la partie basse de l'image. Vous ne savez pas si cette déclaration doit être entendue comme une bonne nouvelle ou comme un horrible drame. Toutefois, en apprenant qu'il y a plusieurs femmes-panthères en Amérique, vous constatez, sans arriver vraiment à vous l'expliquer, qu'au lieu d'éprouver de la terreur vous êtes rassurée. Vous vous préparez.

Dans *La Féline* de Jacques Tourneur, vous êtes, non avec Mister Reed, le mari déçu et frustré, mais avec Irena, vous pensez à sa peur à elle, la peur qu'elle a de devenir la prédatrice de l'homme qu'elle aime. Après vous être identifiée à un gorille ravisseur de femmes, vous vous identifiez à une femme prête à manger les hommes et se refusant, pour cette raison même, à son amant. Finalement, depuis *King Kong*, vos progrès ne sont pas flagrants. Vous vous demandez même si vous n'avez pas tendance à régresser.

L'amélioration de la condition animale se situe moins dans l'expérience elle-même que dans ses contours. Les animaux doivent bénéficier de conditions optimales, bien manger, bien boire, être maintenus à la bonne température, l'idée, c'est que l'animal soit parfaitement traité entre les expériences. Supposons par exemple qu'on veuille voir l'effet du cancer du foie sur le glucose, on sera obligés de provoquer le cancer du foie chez l'animal et de doser son glucose, on ne pourra pas faire autrement, l'expérience l'impose. En revanche, on pourra lui donner une mort douce.

Vous êtes convaincue que la science et l'étude exigent des sacrifices. Vous ne savez pas encore lesquels, vous allez peu à peu le découvrir.

Le terme d'euthanasie est employé de manière récurrente dans les textes sur l'usage des animaux. Pourtant, s'il désigne étymologiquement une mort douce, il s'applique plutôt, dans le vocabulaire courant, à l'acte de donner la mort à celui ou celle qui la réclame pour mettre fin à des souffrances physiques intolérables. Les animaux, même s'ils n'en expriment pas le souhait, peuvent bénéficier de l'euthanasie. Les hommes en revanche, même s'ils en expriment vivement le souhait, n'ont jamais le droit à un tel traitement. Donner son avis ne sert donc strictement à rien et mieux vaut, comme les animaux, se taire. Pour que la frontière entre les hommes et les bêtes ne fasse aucun doute, on s'expose à de terribles incohérences.

Irena Doubrovna ne se fait pas d'illusions sur elle-même. Le monde dans lequel elle vit n'est pas fait pour elle. Vous n'avez pas l'intention de lui ressembler. Pourtant, quand elle pleure dans sa baignoire parce que sa première métamorphose a réellement eu lieu, vous pleurez avec elle.

Si du fait de mauvais traitements ou d'absence de soins, des animaux tenus en captivité sont trouvés gravement malades ou blessés ou en état de misère psychologique, le préfet peut ordonner l'abattage ou la mise à mort de ces animaux sur place.

À vingt-deux ans, vous rencontrez un jeune homme doux, modéré et qui vous aime. Vous acceptez de faire l'amour avec lui, parlez peu, manifestez le moins possible, continuez vos études et restez sous le toit de vos parents où il est obligé de vous rejoindre pour vous tenir dans ses bras une ou deux fois par semaine.

Lorsque pour une cause quelconque à l'occasion du transport, l'acheminement des animaux tenus en captivité est retardé ou interrompu ou lorsqu'il est constaté par l'autorité compétente que les dispositions relatives à leur protection en cours de transport ne sont pas respectées, et dans les cas où des soins appropriés ne pourraient leur être utilement donnés, le préfet peut ordonner leur mise à mort sur place.

Il m'est arrivé de sauver des rats et de les ramener chez moi plutôt que de les laisser passer à la casserole. Parce que ça n'est jamais agréable de tuer. On peut se consoler en se disant que les hommes seraient heureux de mourir en quelques secondes mais c'est pas agréable. Et quand on tue par rupture cérébrale plutôt que par gazage, c'est encore plus difficile, même si on se console en se disant que c'est beaucoup plus rapide que le gaz.

Le tueur passe son temps à se consoler de tuer.

Les études que vous entreprenez sont longues. Le jeune homme doux et modéré qui souhaite partager votre vie est contraint, pour rester avec vous, d'habiter sous votre toit et celui de vos parents. Il vous demande de vivre avec lui. Vous retardez le moment. Votre métamorphose est imminente.

La plupart des méthodes physiques permettent de tuer l'animal sans cruauté. La décapitation par exemple consiste à séparer le corps de la tête. On doit employer pour la réaliser des guillotines spécialement conçues à cet effet. Les avantages de cette méthode résident dans la perte de conscience rapide de l'animal. En revanche, la procédure est esthétiquement déplaisante et elle peut provoquer des blessures chez le manipulateur.

Votre désir d'humanité est à peu près équivalent à votre désir d'animalité. En réalité, il est absolument impossible de les distinguer. Vous avez peur.

Chez les jeunes animaux ou de petite taille ayant un crâne mou, il peut être acceptable d'asséner un coup sur la tête. Ensuite, la mort de l'animal doit être vérifiée. Il est essentiel que la personne chargée de l'opération ait la formation et les compétences voulues pour que le geste soit réalisé sans hésitation et avec une grande rapidité.

Vous envisagez à l'avenir de vous installer avec le jeune homme doux, modéré et amoureux qui vit avec vous chez vos parents. Cela vous laisse le temps d'imaginer ce que doit être la vie d'une femme et ce que vous allez devenir. Vous retardez votre départ, vous vous trouvez des excuses. Votre métamorphose est imminente. Vous avez peur.

Administrés à une dose suffisante, tous les anesthésiques à inhaler courants (halothane, isoflurane) peuvent servir à tuer un animal. Des tests de préférence menés sur des rongeurs montrent que le produit pour lequel ces animaux éprouvent le moins d'aversion est l'halothane. Ces vapeurs ont l'avantage d'être faciles à produire et peu irritantes lors de l'inhalation. Elles doivent toutefois être administrées dans une chambre fermée afin d'être évacuées sans que les manipulateurs y soient exposés car elles sont extrêmement toxiques pour l'homme.

Vous finissez vos études. Vous n'avez plus aucun prétexte pour ne pas quitter le domicile familial. Malgré vos efforts, vous ne savez toujours pas comment on s'y prend pour distinguer et séparer l'amour de la dépendance. Dans votre expérience, l'un et l'autre sont étroitement liés. Vous espérez que votre métamorphose ne tardera pas trop. Vous avez peur.

Administrés à forte dose par voie intraveineuse, tous les dérivés de l'acide barbiturique sont généralement d'excellents agents pour l'euthanasie mais ils peuvent produire une détresse respiratoire chez le patient. Le plus souvent, on préfère employer des solutions concentrées de pentobarbital sodique. Cette méthode a l'avantage d'être peu coûteuse, très fiable, rapide et douce. En revanche, elle présente l'inconvénient de nécessiter la compétence d'un vétérinaire, les produits n'étant pas en vente libre dans le commerce. De plus, comme le produit persiste dans le cadavre de l'animal, les carcasses sont impropres à la transformation pour l'agroalimentaire, elles doivent être rendues inaccessibles aux charognards et éliminées.

Vous quittez enfin le domicile familial mais vous n'éprouvez pas le soulagement escompté. Votre métamorphose n'a pas encore eu lieu. Vous avez peur.

Pour certains mouvements de libération des animaux, on ne peut limiter l'exercice du droit aux êtres capables de le revendiquer. Il faut étendre cet exercice à tous les êtres vivants qui ne peuvent s'exprimer, comme les bêtes, les enfants, les handicapés mentaux, les comateux et les embryons. Les militants de la cause animale sont aussi bien souvent des contempteurs de l'avortement. Pour eux, la nature a toujours raison.

Vous voulez être comme tout le monde. Vous croyez qu'être comme tout le monde rend heureux. Vous croyez que tout le monde est heureux. Vous décidez de vous marier. Vous oubliez immédiatement que, dans *La Féline* de Jacques Tourneur, le mariage précède la métamorphose, et vous oubliez aussi que la métamorphose prépare la fin malheureuse de l'héroïne.

Je crois que je n'aurais pas pu faire des expériences sur les chats et sur les primates, la question ne s'est pas posée, heureusement, mais je crois que je n'aurais pas pu, sauf si vraiment on me l'avait imposé, je suppose qu'on s'habitue à tout et comme je suis d'une autre génération j'aurais sans doute eu du mal à me révolter, je suis l'aîné d'une grande famille, de nombreux tests psychologiques montrent que les aînés sont plus soumis que les cadets, j'ai toujours fait ce qu'on attendait de moi, j'ai un parcours absolument classique.

Vous n'êtes pas une aînée mais vous avez un parcours absolument classique. Vous traitez vos désirs avec indifférence, vous les négligez, vous les ignorez. Vous regardez *La Féline* de Jacques

Tourneur avec plaisir, avec effroi. Comme tous les autres spectateurs, vous avez peur d'Irena Doubrovna, du moins vous le prétendez. Vous avez peur de sa sauvagerie, de sa métamorphose, de ses griffes acérées, de sa cruauté. Vous avez peur parce que vous êtes comme tout le monde, vous avez besoin de tranquillité, vous avez envie de ressembler aux autres, d'avoir une vie rangée, de construire un foyer, d'avoir des enfants, de nourrir une famille, de faire l'amour en temps et en heure avec un partenaire régulier que les autres honorent et respectent. Pourtant à la fin du film, quand la féline s'est métamorphosée, quand elle finit par être tuée, quand Mister Reed trouve une autre femme américaine et civilisée, quand tout rentre dans l'ordre, alors que vous devriez vous féliciter, vous restez dans votre fauteuil et vous pleurez, vous pleurez encore, vous pleurez sans raison, sans frein, sans lucidité. Vous avez peur encore. Vous n'êtes pas rassurée, pas guérie, pas consolée. Vous pleurez.

IV

Vous aimez les animaux mais ça n'a plus aucune importance. Vous êtes depuis longtemps habituée à ne pas en posséder, vous vous en accommodez, vous en voyez même les avantages, vous déclarez à qui veut l'entendre que la possession d'un animal vous ferait perdre votre liberté. Cela vous permet de relativiser ou d'ignorer toutes les autres contraintes auxquelles vous êtes soumise sans même les connaître.

Depuis mon enfance, j'ai toujours vu des animaux à la maison. Mes parents étaient paysans. On élevait des bêtes, ça restait dans la famille, ça ne circulait pas à l'extérieur, on les tuait régulièrement pour notre consommation personnelle, c'est naturel de tuer des bêtes.

Malgré vos exercices d'autonomie, vous imitez vos aînés, vous répétez les comportements des autres membres de votre espèce depuis au moins les premiers siècles de l'ère chrétienne. Sans le vouloir, vous êtes une adepte et une praticienne de l'éthologie humaine. Vous êtes bien élevée, vous vous mariez.

On avait des poulets, des poules, des poussins, à l'époque on faisait couver les poules pendant vingt et un jours, après elles avaient envie, il fallait qu'il y ait un bon coq et comme ça elles faisaient des poussins, maintenant c'est fini, on achète les poussins déjà nés, et les œufs, on n'a plus le droit de les vendre en direct à cause d'une maladie, je ne me souviens plus du nom mais c'est une maladie qu'on peut attraper avec les œufs de la ferme, de toute façon s'il faut que j'aille au marché avec mon panier c'est pas rentable, il vaut mieux élever des volailles pour soi, on ne peut plus en vivre mais au moins on mange bien.

On vous a dit que le bonheur avait un coût, vous acceptez cette idée, mais malgré vos faibles compétences en arithmétique et en économie, vous avez parfois l'impression que le coût est supérieur au bénéfice. Vous n'arrivez pas à distinguer avec certitude ce que vous devez et ce qui vous est dû, vous avancez à l'aveugle, vous êtes liée par un contrat dont vous ne connaissez pas les termes exacts et qui s'applique à vous de l'extérieur. Vous peinez à vous dégager, à vous connaître, à vous appartenir. Vous êtes bien élevée.

L'élevage se définit comme l'action d'entretenir des animaux. Dès lors que des animaux figurent au bilan comptable parmi les immobilisations, il y a élevage. Cette condition est nécessaire mais non suffisante; des établissements où les animaux figurent comme stocks (actifs circulant) peuvent répondre à la définition d'un élevage.

Ne connaissant rien au vocabulaire comptable et juridique, je ne comprends pas si l'«actif circulant» désigne la bête qui court dans des prés qui lui sont expressément réservés ou une ligne budgétaire parallèle et complémentaire de la ligne des passifs.

Au lieu d'aller au cinéma avec votre mère, vous y allez désormais avec votre époux. Vous vous blottissez contre lui quand les scènes de film sont trop violentes, vous vous faites consoler par lui quand elles sont trop tristes. Vous revoyez *King Kong*, *Dersou Ouzala*, *L'Homme blessé*, et même *Rosemary's baby*, un film pour vous légendaire et fondateur dont vous vérifiez à cette occasion n'avoir aucun souvenir intra-utérin. Vous discutez avec votre mari des personnages, de la peur, de la compassion et de l'identification. Toutes vos émotions passent par l'art cinématographique. Vous ne parlez jamais du jeune homme que vous avez aimé adolescente et qui s'est pendu dans sa chambre. Vous êtes bien élevée, vous vous taisez.

En vue d'améliorer la qualité des œufs en coquille, liquides, congelés ou desséchés, et d'éliminer les causes d'altération, de contamination ou de pollution de ceux-ci au cours des opérations allant de la collecte à la vente au détail, les négociants, mandataires, commissionnaires, conserveurs et fabricants d'ovoproduits doivent disposer, en dehors des salles de manipulation, de locaux comportant l'appareillage et l'équipement frigorifique appropriés à leur activité particulière.

Désormais, quand vous pensez aux rennes, vous les imaginez fuyant en troupeau les plaines contaminées, broutant des herbes irradiées en compagnie de poules transgéniques et d'ovoproduits de toutes sortes. Vous ne croyez plus au père Noël. Parfois, vous le regrettez.

En principe, si on tue une poule, c'est qu'elle ne fait plus d'œufs, parce que passé deux ou trois ans c'est fini, elles ne pondent plus ou alors très irrégulièrement. Et le coq que j'ai là, c'est un très vieux coq, il a bien dix ans, c'est une copine qui me l'a donné, elle n'avait que trois ou quatre poules, les pauvres ce qu'elles dégustaient, elles n'osaient pas sortir du perchoir le matin parce qu'un coq, d'habitude, il monte facilement sept ou huit poules et s'il n'y en a que trois, ça va mal se passer pour elles.

Vous n'aimez pas le désir de votre mari, vous n'aimez pas la frénésie de ce désir, vous n'aimez

174

pas la transformation qu'elle opère en lui, vous avez l'impression de faire l'amour avec quelqu'un d'autre, vous n'aimez pas faire l'amour avec quelqu'un d'autre, vous voudriez que votre mari reste inchangé, vous voudriez être rassurée, protégée, consolée, vous n'êtes pas frénétique, vous n'êtes pas emportée, vous n'êtes pas transformée. Votre métamorphose n'a pas eu lieu encore.

L'étude du comportement humain est grandement favorisée par l'étude du comportement des animaux domestiques. En revanche, l'élevage industriel modifie en de telles proportions la manière dont vivent les bêtes qu'il est impossible de s'appuyer sur des observations faites à l'intérieur des cages ou des étables à fort rendement pour réfléchir sereinement sur la vie en société.

Vous vivez sans heurt et sans à-coups. Vous faites de longs voyages avec votre mari. Vous profitez du dépaysement pour vous rapprocher de lui. Vous vous protégez avec lui du monde extérieur. Vous éprouvez votre ressemblance avec lui. Vous fusionnez avec lui. Vous rencontrez les populations autochtones avec lui. Vous vous concentrez sur ce que vous voyez. Vous vous étonnez, vous vous extasiez, vous vous changez les idées. Quand vous revenez, rien n'a changé. Vous avez toujours du mal à accepter l'amour physique et les transformations qu'il génère. Vous ne voulez pas bouger, vous ne voulez pas frémir, vous ne voulez pas vous exposer. *Rosemary's baby*, que vous avez peut-être vu avec votre mère au tout début de votre vie, vous trotte dans la tête. Quelque chose dans votre existence vous répugne ou vous épouvante. Vous avez besoin d'être rassurée. Vous n'êtes pas prête encore.

Il existe quatre types d'élevage de volailles. L'élevage en batterie (code 3) dans lequel chaque individu doit bénéficier de 550 cm^2, l'élevage au sol (code 2) où l'individu est élevé dans un bâtiment mais reste en liberté, l'élevage en plein air (code 1) où l'individu vit à l'extérieur et bénéficie d'un bâtiment qui lui permet de s'abriter en cas d'intempérie, l'élevage bio (code 0).

Contrairement à l'image convenue que nous avons des chiffres, les codes sont inversement proportionnels au bien-être supposé de l'animal. En revanche, ils paraissent clairement proportionnés à la rentabilité des élevages concernés. Ce classement, en outre, a l'avantage de permettre d'envisager à l'avenir des élevages de code 4, 5 et suivants, dont on peine pour l'instant à imaginer les futures caractéristiques.

Dans vos voyages, vous évitez la Sibérie ou le lac Baïkal de peur de confronter vos rêves d'enfant à une réalité très éloignée du conte de fées. Vous savez que les rennes vivent désormais dans des élevages, que leur nombre est connu et enregistré, qu'ils sont acclimatés aux zones tempérées humides, qu'ils n'ont plus le droit de partir vers l'est, qu'il existe des quotas d'abattage, que leur viande est recherchée, et même qu'il est possible un jour que vous en mangiez.

Maman avait une truie. Quand c'était l'époque elle la mettait au verrat puis elle attendait les naissances, vers la fin il fallait qu'elle surveille sa bête jour et nuit parce qu'une truie c'est énorme, parfois elle écrase ses petits à la naissance. Comme ma mère vendait les petits cochons, il ne fallait pas qu'ils se fassent écraser, elle en gardait deux ou trois et les autres elle les vendait.

Votre travail vous oblige à quitter votre domicile plusieurs fois par semaine. Vous passez certaines nuits à l'hôtel, les hivers se succèdent, à aucun moment vous n'envisagez de raconter l'histoire du père Noël à d'éventuels futurs enfants. Vous vous demandez si ce n'est pas le syndrome de Rosemary, le personnage principal du film de Polanski, qui vous guette. Vous faites part de vos réticences à votre époux. Il vous approuve. Vous êtes bien élevée, vous le restez.

On peut apprendre plein de choses à un cochon, c'est très aimable, si on l'apprivoise il entre dans la maison, d'ailleurs y a des gens qui prennent des cochons comme animal de compagnie, je trouve ça un peu exagéré parce que ça devient très gros mais c'est très aimable, quand il fallait les tuer c'était la catastrophe, on ne supportait pas de devoir s'en séparer, on a préféré arrêter l'élevage des porcs.

Les soirs où vous êtes loin de chez vous, vous dînez avec des collègues, vous préparez le travail du lendemain, vous appelez votre mari au téléphone, vous ne profitez pas de vos absences répétées pour avoir des amants, vous vous dites que tout va bien. Vous avez l'impression que rien ne changera dans l'organisation de votre vie, et cette perspective, au lieu de vous effrayer, vous rassure. Vous en parlez à votre époux, il vous approuve. Vous êtes bien élevée, vous le restez.

Les locaux de stabulation des porcs doivent être construits de manière à permettre à chaque porc de s'allonger, de se reposer et de se lever sans difficulté, de disposer d'une place propre pour se reposer et de voir d'autres porcs.

Votre insertion dans la vie professionnelle se fait sans difficulté. Vous commencez à envisager ce vers quoi vous vous dirigez. Vous avez peur d'être immobilisée mais vous avez peur aussi de changer. Vous vous sentez prisonnière. Vous en parlez à votre époux, il vous approuve. Et comme vous êtes bien élevée, vous continuez.

Lorsque les porcs sont attachés, leur attache ne doit pas les blesser et doit être inspectée régulièrement et ajustée si nécessaire pour qu'ils se sentent bien. Chaque attache doit être suffisamment longue pour permettre à l'animal de se déplacer. Elle doit être conçue de manière à éviter, dans la mesure du possible, tout risque de strangulation et de blessure.

Votre environnement vous pèse. Un jour, en partant avec des amis loin de votre famille et loin de votre mari, vous commencez à comprendre ce qui vous manque et ce qui vous attire. Vous revenez plus abattue, plus seule, plus fragile mais aussi tellement plus sûre.

Si les porcs sont élevés ensemble, des mesures doivent être prises pour éviter les bagarres qui vont au-delà d'un comportement normal. Les porcs manifestant une agressivité constante à l'égard des autres ou victimes de cette agressivité doivent être isolés ou éloignés du groupe.

Lors de vos déplacements en province, vous rencontrez une femme de dix ans votre cadette. Vous la voyez d'abord de loin en loin et, à mesure que le temps passe, vos rencontres, bien qu'im-provisées, deviennent habituelles, régulières, hebdomadaires. Au début, vous n'y pensez pas, vous n'attendez rien, la jeune femme vient chaque semaine, vous buvez un café en ville avec elle, vous discutez, vous allez vous coucher non sans avoir au préalable téléphoné à votre époux. Vous êtes bien élevée. Vous le restez.

Les cases pour verrats doivent être construites de manière que les verrats puissent se retourner, percevoir le grognement, l'odeur et la silhouette des autres porcs. Quant aux truies gravides, elles seront placées dans des loges de mise bas, dont les dimensions devront être suffisantes pour que les porcelets puissent être allaités sans difficulté.

Lors de l'un de vos déplacements, alors que cela fait plusieurs mois que vous buvez chaque semaine un café avec cette femme de dix ans votre cadette, elle ne vient pas. Vous découvrez que son absence crée du vide. Vous l'attendez. Toute la semaine suivante, vous pensez à elle. Vous n'en dites rien à votre époux de peur de l'inquiéter. Pour mentir, il faudrait parler. Vous êtes bien élevée, vous voulez le rester.

Les porcs ne doivent pas être maintenus en permanence dans l'obscurité. À cet effet, afin de répondre à leurs besoins comportementaux et physiologiques, il y a lieu de prévoir un éclairage approprié naturel ou artificiel qui, dans ce dernier cas, doit être au moins équivalent à la durée d'éclairage naturel normalement disponible entre 9 et 17 heures. En outre, un éclairage approprié (fixe ou mobile) d'une intensité suffisante pour permettre d'inspecter les porcs à tout moment doit être disponible.

Quand vous retournez en province la semaine suivante, vous avez peur que la femme de dix ans votre cadette que vous avez pris l'habitude de voir à chacun de vos déplacements ne vienne pas. Ce jour-là, vous êtes particulièrement contente qu'elle soit là. Vous ne le lui dites pas, ni que son absence a été plus douloureuse que vous ne l'escomptiez. Le silence est aussi une forme de mensonge. Vous êtes bien élevée. Vous le restez.

Tous les porcs doivent être nourris au moins une fois par jour. Lorsque les porcs sont logés en groupe et ne bénéficient pas d'une alimentation ad libitum ou d'un système d'alimentation automatique, chaque porc doit avoir accès à la nourriture en même temps que les autres animaux du groupe.

Vous restez loin de chez vous un peu plus longtemps que d'habitude pour participer à diverses réunions de travail qu'autrefois vous n'auriez eu aucun scrupule à manquer. Vous en parlez à votre époux, il vous approuve. Les cafés que vous prenez avec la jeune femme de dix ans votre cadette se transforment en dîners.

Pour éviter la caudophagie, morsure ou section par un porc de la queue de l'un de ses congénères, «forme douloureuse d'anomalie du comportement observée dans des conditions d'élevage intensif», comme la définit l'Agence européenne de sécurité des aliments, la caudectomie s'est généralisée. Pratiquée peu après la naissance des porcelets, elle consiste à couper la queue de l'animal. Dans la filière porcine, cette intervention participe à ce qu'on appelle les «soins des porcelets».

La manière la plus sûre de guérir une souffrance qui conduit un individu à agresser son semblable consiste, non à supprimer la cause de l'agressivité, mais à supprimer tout ou partie du semblable.

Vous évitez le plus possible les rencontres avec vos collègues sur votre lieu de travail ou à l'extérieur. Vous n'avez pas envie qu'ils sachent pourquoi vous déclinez systématiquement leurs invitations. Vous continuez à dîner régulièrement avec la jeune femme de dix ans votre cadette. Vous êtes bien élevée, vous apprenez à vous cacher.

Quand le cochon commençait à crier je m'échappais parce qu'on habitait au village, alors quand je l'entendais, je filais directement à l'école qui était juste derrière la maison, c'est comme ça que j'ai appris à lire et à écrire, grâce au cochon, il crie, c'est énorme, je suis allée à l'école pour échapper au cri du cochon.

Avec la jeune femme de dix ans votre cadette, vous allez dans des restaurants où vous avez peu de chances de croiser vos collègues. Quand il arrive que vous en rencontriez un, vous le saluez d'un air dégagé. Vous êtes bien élevée, vous avez l'intention de le rester.

Pour leur permettre de satisfaire leurs besoins comportementaux, tous les porcs – compte tenu du milieu ambiant et de la densité de peuplement – doivent pouvoir disposer de paille. L'absence de paille ou d'un substrat particulier permettant le fouissement, la présence de sols en caillebotis et un environnement pauvre favorisent en effet des comportements agressifs entre spécimens. La mise à disposition de jouets tels que des chaînes, des bâtons à mâcher ou des balles, bien qu'elle ne permette pas de réduire le risque de caudophagie de manière significative, peut apaiser les porcs et diminuer la violence entre congénères.

Vos rendez-vous avec la jeune femme de dix ans votre cadette sont devenus indispensables à votre équilibre personnel. Vous n'en dites rien à votre époux. Pour mentir, il faudrait parler. Vous pensez que vous n'avez rien à vous reprocher mais vous pensez aussi que vous quitterez bientôt la ville ou entrerez en clandestinité. Vous vous préparez.

Ces matins-là, il fallait se lever très tôt et faire bouillir l'eau dans une grande marmite en fonte, on rentrait dans la cour, on l'attrapait par une patte, à quatre ou cinq on le tenait, on l'emmenait dehors, je pense qu'il n'avait pas mal mais surtout il avait peur, c'est pour ça qu'il criait, je n'ai jamais assisté mais je sais comment ça se passait, y en avait un qui lui plantait le couteau, c'était son métier, je veux dire que c'était un agriculteur comme les autres mais pendant cette période y avait que lui qui œuvrait et ça lui rapportait pas mal, il s'en faisait trois ou quatre dans la matinée. Ensuite, on l'ébouillantait et on le grattait pour lui enlever tous les poils, c'était le travail des hommes. Les femmes s'occupaient plutôt de touiller le sang de la saignée qu'on avait récupéré dans une bassine, il fallait le garder bien liquide pour ne pas qu'il y ait de grumeaux et, une fois que la carcasse était fendue en deux, elles lavaient les boyaux plusieurs fois pendant que les hommes allaient jouer aux cartes. On n'aimait pas du tout la mort du cochon mais ça ne nous coupait pas l'appétit, après y avait des provisions pour toute l'année, des morceaux de très bonne qualité.

Vous n'aimez pas passer du temps sur votre lieu de travail et vous n'aimez pas non plus la province. En revanche, vous attendez avec impatience les dîners avec la jeune femme de dix ans votre cadette. Vous n'en dites rien à votre époux. Pour mentir, il faudrait parler. Vous vous préparez.

Le porc, c'est un gros travail toute l'année, en plus ils peuvent tomber malades, ils ont la fièvre, ils se remplissent de taches rouges, c'est une sorte de rougeole, quelquefois y en a qui en meurent même si c'est pas la majorité, ils traînent jusqu'à ce qu'ils crèvent, ça nous est arrivé une ou deux fois, c'est un manque à gagner parce qu'on ne mange pas ce qui est mort, ce qui est crevé on ne le mange pas.

Un soir où vous avez trop bu, vous vous asseyez à même le sol en plein centre-ville avec la jeune femme de dix ans votre cadette, vous parlez avec elle jusqu'à des heures avancées de la nuit, vous évoquez les relations exclusives que vous avez entretenues avec votre mère, vous racontez des douleurs rentrées, vous découvrez que vous en voulez à la terre entière, votre colère est sur le point de s'exprimer. En rentrant à votre hôtel au petit matin, vous vous dites que vous n'avez plus l'âge de commettre de tels excès, qu'on aurait pu vous voir, vous vous demandez en même temps pourquoi vous vous sentez si légère. Vous êtes sur le point de vous délivrer.

La conduite des porcs du quai de déchargement aux zones de stockage doit être aisée et ne doit pas nécessiter de trop longues interventions des employés. Les travées de stockage doivent être clairement identifiées de sorte que le porcher soit informé de l'ordre du passage des bêtes. Ces dernières doivent pouvoir circuler facilement vers le piège où elles seront étourdies puis saignées.

Un jour, vous avez la fièvre, vous ne partez pas en province, vous tournez en rond chez vous, vous avez chaud, vous avez froid, vous vous sentez enfermée, vous aimeriez prévenir la jeune femme de dix ans votre cadette, vous n'avez pas ses coordonnées et même si vous les aviez, un appel de votre part pourrait paraître déplacé. Vous ruminez.

Dans les couloirs dits couloirs d'amenée ou couloirs de la mort, il faut prévoir des installations qui ne laissent aux bêtes aucun moyen de revenir en arrière ou de s'échapper. Les couloirs doivent donc être étroits sans toutefois gêner l'approvisionnement régulier de la chaîne. Chaque incident, bousculade, encombrement, chute d'un animal avec éventuels mouvements de panique ou hurlements peut en effet conduire à un arrêt momentané du circuit et diminuer d'autant le chiffre de rendement.

Vous parlez avec la jeune femme de dix ans votre cadette du jeune homme que vous avez aimé et qui s'est pendu dans sa chambre. Un flux d'émotion incontrôlé vous submerge, vous vous mettez à pleurer. Vous découvrez que perdre le contrôle de soi offre des plaisirs insoupçonnés. Vous vous préparez.

La configuration du piège et de la zone d'anesthésie doit également être pensée pour permettre à l'opérateur de travailler aisément sans entrer en contact direct avec les bêtes. Des dispositifs de retenue de l'animal doivent en outre être prévus en cas de mauvaise anesthésie et tous les animaux doivent être si possible immobilisés avant étourdissement à la fois pour protéger l'opérateur d'éventuelles blessures et pour qu'il puisse facilement trouver la zone d'impact qui aura le plus d'effet sur le fonctionnement cérébral de la bête à anesthésier.

Cela fait longtemps que vous ne croyez plus aux contes de fées mais votre conception de l'amour est encore pleine de naïveté. Vous essayez de vous protéger. Vous essayez de vous éloigner. Vous mettez de la distance entre vous et la réalité. Vous essayez de vous étourdir, de vous calmer, de vous abrutir. Vous vous sentez coupable, vous en voulez à la jeune femme de dix ans votre cadette, vous dénigrez ce qui vous réjouit. Vous n'en touchez mot à votre mari. Pour mentir, il faudrait parler. Vous ruminez.

Le pistolet à tige perforante, le pistolet à percussion ou les pinces à électrocution sont les trois armes les plus employées pour étourdir les bêtes avant saignée. Cet étourdissement est obligatoire. Il produit la chute immédiate de l'animal, la perte de respiration, ainsi que des crampes toniques (contraction intense et de longue durée des muscles). Il est recommandé de pratiquer la saignée dans la minute qui suit l'étourdissement. De fait, des études ont pu montrer que la qualité de la viande est inversement proportionnelle au stress de l'animal juste avant la mort.

Vous tentez de contrôler vos émotions, d'anesthésier vos sens, de supprimer vos élans, de vous écarter de la jeune femme de dix ans votre cadette, de l'éviter, de vous détacher, d'accéder à un état somnambulique que vous connaissez bien, d'être hébétée, distraite, abasourdie, aveugle comme vous l'avez déjà été. Vous instaurez une distance réglementaire entre elle et vous, vous la respectez, vous gardez le cap, pendant les périodes que vous passez en province vous travaillez avec acharnement, vous ne répondez pas au téléphone, vous mangez à l'hôtel, vous buvez du whisky, vous vous saoulez, vous regardez la télévision fixée au plafond, vous coupez le son, vous zappez, vous vous étourdissez, vous vous abrutissez, vous vous remplissez, vous vous videz. Vous vous enfermez comme si quelqu'un risquait de forcer votre porte, vous vous barricadez comme si quelqu'un vous menaçait, vous longez les murs comme si quelqu'un vous épiait, vous parlez à voix basse comme si quelqu'un vous écoutait. Mais quand vous constatez que personne ne vous épie, ne vous écoute, ne vous poursuit, ne vous harcèle, ne vous menace ou ne force la porte de votre chambre, vous sombrez dans la mélancolie. Vous êtes traversée par le doute, des images bizarres et inattendues parcourent vos rêves, vous tentez de les repousser, des voix inconnues chuchotent à votre oreille, vous faites semblant de ne pas les entendre. Vos efforts n'y font rien. Vous avez peur de céder, de succomber, de hurler, de désirer. Vous êtes sur le point de vous métamorphoser.

Un soir, juste avant Noël, vous dînez avec la jeune femme de dix ans votre cadette, la neige se met à tomber. Au lieu de rentrer à votre hôtel, vous finissez dans son lit et faites l'amour avec elle. Le silence vous enveloppe. Le silence vous entoure. Le silence vous recouvre. Vous vous taisez. Vous vous cachez. Par crainte, par éducation, par impuissance, par honte, par faiblesse, vous entrez en clandestinité.

Moi je n'ai pas envie de savoir ce que deviennent mes vaches après que je les ai vendues, elles partent en Italie, c'est une filière, ils doivent les garder ou les vendre à des gens, je ne sais pas ce qu'ils en font et ça m'est complètement égal.

Au matin, vous allez au travail, vous pensez à la nuit passée comme à une expérience sans conséquence, une entorse au bon déroulement de votre vie, un écart. Vous ne vous demandez pas ce que vous ferez après Noël. Vous êtes bien élevée, vous désirez plus que tout le rester. Vous vous mentez.

C'est vrai que c'est toujours un peu bizarre d'emmener à l'abattoir des bêtes qu'on a élevées, soignées et bichonnées, mais il n'y a rien d'extraordinaire à les tuer, c'est naturel, il suffit de ne pas trop y penser.

La jeune femme de dix ans votre cadette vous appelle plusieurs fois dans la matinée, vous essayez de vous convaincre de l'insignifiance des événements de la nuit, vous simulez l'indifférence pour vous rassurer, mais vous ne pouvez vous empêcher de retourner la voir dans la journée. Vous ratez le train que vous aviez prévu de prendre. Vous comprenez que les choses ne vont pas être aussi simples que vous l'espériez. Vous vous demandez sans vous l'avouer ce que vous ferez après Noël. Vous êtes sur le point de vous émanciper.

Ça s'est passé dans le champ derrière la maison. Le maquignon est arrivé, on lui a dit, le taureau que vous nous avez vendu, on n'a pas trop confiance, il saute, c'est un grand élancé, il est nerveux, on a peur. Le maquignon est allé dans le champ, je le vois encore, il avait sa canne, le taureau a couru sur lui et s'est arrêté à quelques mètres. Et là, au lieu de battre en retraite, il a fait une faute professionnelle. Avec son gourdin il a battu le taureau de toutes ses forces, il lui a tapé sur la tête à grands coups pour lui montrer que c'était lui le patron. Le taureau est devenu furieux, il lui a foncé dessus et il ne l'a pas lâché. On a vu la scène, on est arrivés à toute vitesse, avec le tracteur on a réussi à faire partir le taureau mais le maquignon était en bouillie, il n'est pas mort sur le coup, il a fait une hémorragie interne, tu parles. Et le taureau, il a été emmené à l'abattoir, je ne sais même pas si on nous l'a payé.

Bien que vous ne croyiez plus au père Noël, vous aimeriez partir avec les rennes, rejoindre le lac Baïkal, aller en direction de l'Oural, atteindre la frontière chinoise. Vous êtes tentée par la fuite en traîneau mais vous n'avez pas la force d'être seule, seule vous ne l'avez jamais été. Vous proposez à votre mari de vous suivre. Il accepte. Vous ne voulez pas encore être délivrée.

En général, quand elles vont à l'abattoir tout se passe bien, même si des fois on en a des méchantes, faut les coincer dans les couloirs comme on peut, faut les ramener, les pousser, qu'elles marchent d'elles-mêmes sans tirer dessus. Donc c'est une organisation, à nous de les présenter pour qu'elles montent. Et il vaut mieux éviter le lasso parce que, comme elles ne sont pas habituées à être attachées, elles se battent contre la corde si on les attache, et alors elles peuvent devenir dangereuses.

Vous demandez à votre mari de vous laisser rejoindre pour une journée la jeune femme de dix ans votre cadette, vous lui promettez que vous avez besoin d'y aller pour rompre avec elle. Il vous laisse partir. Vous faites un aller-retour improvisé, vous expliquez à la jeune femme de dix ans votre cadette que vous ne quitterez jamais votre mari, elle pleure, vous êtes troublée par ses larmes, vous lui expliquez que tout cela est trop précipité, elle pleure encore, vous ne savez plus quoi penser, quoi faire. Vous restez au lit toute la journée avec elle et quand vous reprenez le train, vous vous rendez compte que vous n'avez rien réglé. Vous avez envie de passer les vacances de Noël avec elle.

Cette année, j'ai emmené une vache à l'abattoir et elle est sortie du parc où je l'avais mise, elle a sauté par-dessus, elle a mis les cornes dans les grillages, elle les a déchirés, elle a quitté l'enceinte de l'abattoir, après on n'a pas pu l'attraper, elle nous a chargés, elle est partie en direction de la ville. Il a fallu faire venir les gendarmes et un vétérinaire avec un fusil hypodermique pour descendre la vache, attendre qu'elle s'endorme, réquisitionner un tracteur qui passait par là, la retourner à l'abattoir, lui faire une piqûre pour la réveiller avant de pouvoir l'abattre, on ne la tue pas endormie parce qu'il faut d'abord qu'elle évacue le produit anesthésique. Elle est devenue complètement dingue mais c'est exceptionnel, en général ça se passe toujours très bien.

Vous partez faire du traîneau et voir des rennes en compagnie de votre époux. Vous visitez une ferme, on vous montre les mines de minerai et les terminaux de gaz autour des pâturages. Vous faites de la motoneige avec l'éleveur pour apporter du fourrage à des cervidés désormais incapables, en raison du grignotage des terres de transhumance par l'industrie, de se nourrir seuls. Vous les regardez ruminer et ruminer encore. Vous savez maintenant ce que font les rennes après Noël. Le désenchantement est une forme comme une autre d'émancipation intellectuelle.

La vache, bien sûr que non, elle ne sait pas qu'elle va mourir, elle avance bêtement dans l'abattoir comme elle irait dans le pré, elle sait que c'est dangereux pour elle, forcément, si elle a le choix je peux vous dire qu'elle va faire demi-tour mais elle ne peut pas. Non. Elle ne sait pas qu'elle meurt. Elle se rend compte qu'elle n'est pas dans son milieu naturel, elle est coincée, il va se passer quelque chose, de toute façon n'importe quelle bête que vous coincez, elle sait qu'il y a un danger. Et là, y a des bruits bien spécifiques, des odeurs qui font qu'elle sait que c'est dangereux mais ça ne réfléchit pas comme nous, une bête, elle ne sait pas qu'elle va mourir, c'est impossible qu'elle sache.

Vous vous laissez porter par le froid, la neige et le traîneau. Vous essayez d'oublier la jeune femme de dix ans votre cadette. Vous essayez de retenir les pulsions qui vous traversent. Vous vous contrôlez. Vous vous maîtrisez. Vous pensez à la féline, vous ne voulez pas finir comme elle. La mort ne vous paraît pas être une bonne solution. Vous en cherchez une autre mais vous n'en trouvez aucune. Vous retardez votre émancipation.

Les animaux sont toujours bien traités, les professionnels s'en occupent bien, c'est sûr que si vous faites venir un chargement de vaches de Pologne pour l'abattage à Toulouse, il va en tomber dans le camion et les autres vont marcher dessus, ça peut arriver, mais ils ont tort de faire ça, c'est tout, c'est pas un gars comme moi qui procéderait de cette manière, on dit beaucoup de bêtises mais en général y a jamais aucun problème, les bêtes sont toujours bien traitées.

Vos efforts sont inutiles. Le dépaysement n'y fait rien. Vous ne voulez pas mourir. Vous ne croyez pas aux contes de fées qu'on vous racontait pendant votre enfance. Vous n'êtes pas comme la féline. Vous ne vivez pas en Amérique. Vous n'êtes pas mariée avec un Américain. Vous n'avez pas l'intention de vous refuser à lui de peur de ce qui pourrait advenir. Vous ne voulez pas passer du statut de victime à celui de prédatrice. Ni du statut de prédatrice à celui de victime. Vous n'êtes ni dominée ni dominatrice. Vous avez plus de chance que la féline. Vous avez plus de volonté que la féline. Vous avez plus de désir que la féline.

Vous êtes plus forte qu'elle. Vous n'êtes pas née avant-guerre. Vos parents ne sont pas d'origine serbe. Ils ne vous ont pas laissée seule dans un pays étranger. Vous n'êtes pas une panthère. Vous ne vous métamorphosez pas en bête. Vous cessez de vous identifier. Vous cessez de vous retenir. Vous cessez de vous domestiquer. Vous acceptez les pulsions qui vous traversent. Vous êtes étonnée, vous êtes déterminée, vous êtes combative, vous êtes insoumise, vous êtes indocile, vous êtes joyeuse, vous êtes légère. Votre trahison est imminente. Vous êtes prête.

À votre retour de vacances, la jeune femme de dix ans votre cadette vous demande de quitter votre mari ou de rompre avec elle. Vous essayez d'éviter l'un et l'autre, de faire durer le plaisir et la peine. Votre indécision vous dégoûte de vous-même mais vous vous entêtez.

Moi, je voulais être boucher parce que j'avais envie de tuer. Peut-être que ça me faisait peur au départ mais en même temps l'idée me plaisait, je voulais devenir boucher pour tuer les bêtes.

Même si vous estimez que les quelques nuits que vous avez passées avec la jeune femme de dix ans votre cadette n'ont aucun sens, vous en voulez d'autres. D'autres nuits. Vous êtes traversée par un flux d'amour naïf, vous vous emportez, le sentiment vous rend stupide. La jeune femme se venge de votre indécision, elle vous accueille chez elle quand elle le décide, vous vous pliez à sa volonté, à son désir, elle vous fait languir, une fois oui, une fois non, vous vous comportez comme une adolescente, il vous est impossible de vous extraire. Vous êtes avide de sa chair, de son odeur, vous avez envie de la boire, de la sentir, de la sucer, de la mordre, votre désir est frénétique, vous êtes hors de vous-même, vous frémissez, vous criez, vous vous transformez, vous êtes exposée. Vous vous métamorphosez.

J'ai insisté auprès de mes parents pour devenir boucher mais eux voulaient que j'aille à l'école. Un jour, j'avais onze ans, il s'est trouvé qu'il y avait un cochon à tuer, mon père m'a dit, si tu veux être boucher t'as qu'à tuer le cochon. Ils l'ont attrapé à quatre ou cinq et celui qui le tuait d'habitude m'a montré où enfoncer le couteau, ça s'est très bien passé, il a saigné impeccable. Du coup, comme je ne m'étais pas dégonflé, mes parents m'ont cherché un patron et j'ai fait ce que je voulais, je suis devenu boucher.

À la différence de la féline, votre métamorphose ne signe pas votre perte. L'émancipation prend des formes que vous n'aviez pas même imaginées.

Les veaux, c'est pareil que le cochon en plus simple, parce qu'on peut trancher plus large dans la gorge, le veau, on va finir de toute façon par lui couper la tête sans vraiment la travailler, alors que le porc il faut être assez précis, on a besoin d'une bête qui reste entière. Mais globalement, quelle que soit la bête, il suffit de sectionner les artères du cou, c'est toujours le même geste.

Quand vous vous décidez enfin à quitter votre mari, il est trop tard pour songer à une relation quelconque avec la jeune femme de dix ans votre cadette. Pendant longtemps encore, vous regrettez votre passé, vous espérez même qu'il vous sera possible de revenir en arrière, de reprendre la vie conjugale là où vous l'avez laissée. Vous avez peur que votre séparation ne fasse revenir en première ligne vos parents, vous ne voulez pas retourner au cinéma avec votre mère. En même temps, vous apprenez à vivre seule, vous vous dégagez, vous vous extrayez, vous écoutez vos sensations, vous n'êtes plus somnambule, abasourdie, hébétée, engourdie, distraite, aveugle, retenue. Vous êtes triste souvent, vous pleurez, vous pensez au jeune homme que vous avez aimé et qui s'est pendu dans sa chambre, vous vous rappelez, vous parlez, vous essayez de vous appartenir. Vous vous émancipez.

Quand j'étais gamin je trouvais que c'était valorisant de tuer les bêtes, j'étais impressionné par les gars qui le faisaient, je trouvais quand même qu'il fallait du cran et je les admirais, en même temps c'est un geste simple, il faut juste de la force, enfoncer un couteau dans la chair, ça n'a rien d'extraordinaire.

Vous tombez amoureuse d'une femme qui ne sait pas très bien ce qu'elle veut. Vous non plus. Vous errez ensemble et séparément, vous vous demandez de quoi l'avenir sera fait et même s'il y aura un avenir. Au bout de quelques mois, elle vous quitte, s'installe avec un homme, achète un appartement, met au monde deux enfants et construit une vie de famille qui vous paraît de moins en moins attractive. Vous souffrez de son départ, vous comprenez qu'il vous faut abandonner l'idée que vous vous faisiez, petite fille, de votre vie d'adulte. Pour vous émanciper, il vous faut d'abord renoncer.

On a eu une césarienne, c'est la première fois que je voyais ça, c'était affreux. On a attaché la vache par les cornes et on a commencé à la fouiller, on s'est rendu compte que le veau se présentait mal. Le vétérinaire vient, il fouille, il dit, faut une césarienne, allez chercher une table, un drap, du savon et de l'eau chaude. Il a commencé à lui faire des piqûres, il l'a rasée, il l'a incisée, c'est une horreur, il a sorti tout ce qu'il y avait à l'intérieur et il l'a mis sur la planche, tu vois cette chose-là vivante sur la planche, je te dis pas, c'est une horreur, le veau, lui, était mort, il était trop mal tourné, le vétérinaire a dû enlever le placenta, puis remettre toute la matrice à l'intérieur, recoudre en vitesse, ça a duré tout l'après-midi, ça nous a coûté et la vache est foutue, au prochain vêlage elle ne pourra pas s'en sortir, on va être obligés de s'en séparer.

Vous renoncez à entrer dans le rang, à faire plaisir à vos parents, à mettre au monde des enfants, à raconter des contes de fées, à faire l'éloge de la maternité. Vous savez maintenant comment trahir. C'est ce que vous faites. Vous trahissez.

J'ai commencé dans les abattoirs et j'ai fait tous les postes. Je peux vous les décrire, si vous voulez. Dans la zone sale, y a l'assommage, y a l'accrochage, y a la saignée, y a ce qu'on appelle le museau et les cornes, on tire le museau du masque, y a le dépouillage, première patte, deuxième patte, l'écuyer, après y a le coupage des pattes avant, dépouillage de la tête, pied arrière, ferme arrière, on noue le tuyau digestif qui passe près du larynx pour ne pas que ça foute de l'herbe partout dans la bête, après y a l'arrachage, on retire la peau. Ensuite on passe en zone propre, y a le sternum, couper la poitrine en deux, y a le déboîtage de la tête, après c'est la vide blanche, tripes et grosse panse, après les abats rouges, foie et mou de cœur, ça va au service vétérinaire, après y a le dégraissage, le désossage des avants et des arrières, le sciage et la finition, puis la pesée et le classement. J'ai aucun poste préféré, je les aime tous.

Vous voyez *Lumière silencieuse*, un film de Carlos Reygadas, sans votre mère. Le personnage principal vit une grande histoire d'amour avec une femme autre que son épouse. À la fin du film, l'épouse meurt. Le personnage principal pleure. La femme qu'il aime vient le voir le jour des funérailles et lui dit, on ne peut pas revenir en arrière. Pour la première fois, cette évidence ne vous plonge pas dans la mélancolie. Vous éprouvez même une sorte de satisfaction à mesurer les conséquences d'un tel phénomène. Vous vous répétez la phrase en boucle. On ne revient pas en arrière. Elle entre en vous et vous imprègne. Grâce à l'art cinématographique, vous acceptez cette idée, vous en profitez, vous trouvez même que c'est une très bonne nouvelle. Vous vous émancipez.

La chaîne, c'est un truc industriel. Les circuits du vif et du mort ne se croisent pas et ça ne fait jamais demi-tour, ça avance. On fait quatre cents bêtes par jour, on est soixante sur la chaîne, ça représente cinquante-huit bêtes à l'heure et ça se fait sans violence, quand la première balle ne marche pas, on en met une deuxième, la bête ne souffre pas. On pourrait sûrement en tuer plus à l'heure mais après ça s'entasse, il faut que ça dégage, c'est pas de les tuer qui est long, c'est tout le reste.

Le lien que vous avez avec votre ex-mari prolonge le lien que vous aviez avec votre mère. Vous décidez de divorcer. Vous savez enfin comment trahir, vous vous en réjouissez. Le jour venu, vous attendez pour rencontrer le juge, on appelle un nom, personne ne répond, vous vous rendez compte au bout de quelques minutes que ce nom est votre nom de femme mariée et que c'est vous qu'on appelle.

Cette question de la traçabilité, ça ne veut rien dire. Ils affichent l'origine du bétail. Ça ne nous avance à rien. La nourriture que mange la vache, de la cochonnerie ici ou en Belgique, c'est pareil. On nous a pondu ça pour faire vendeur. Ça a été pour noyer le poisson, pour dire aux gens que la viande française, c'est meilleur. Mais la nourriture qu'on donne, ça n'a rien à voir avec l'origine de la bête, c'est complètement idiot. Ça a été fait exprès pour faire plaisir aux grandes surfaces. On n'a pas besoin de ça, nous, et s'ils continuent avec leurs foutues réglementations, on va bientôt disparaître.

Après votre divorce, certaines personnes continuent à vous donner votre nom de femme mariée, nom que par ailleurs vous n'avez jamais porté. Tout vous énerve.

À votre âge, il va falloir penser à faire des enfants sinon il sera trop tard. Vous ne voulez pas faire des enfants. Vous ne voulez pas devenir mère. Tout vous énerve.

Malgré vos explications, votre gynécologue n'a pas très bien compris votre changement de sexualité. Toujours pas de rapport sexuel?

demande-t-il d'un ton gêné à chacune de vos visites. Tout vous énerve.

Vous écrivez un scénario qui raconte une histoire d'amour entre deux femmes. Le producteur vous suggère de garder la même trame et de changer seulement le sexe de l'un des protagonistes, entre un homme et une femme ça ne sera pas tellement différent et ça sera plus universel. Tout vous énerve.

Certains de vos amis devenus parents n'ont pas très envie de laisser leur fille de trois ans entre vos mains parce qu'on ne sait jamais, ça pourrait donner de mauvaises idées à la petite. Tout vous énerve.

Les relations de travail qui téléphonent à votre domicile se confondent en excuses quand c'est une autre voix de femme que la vôtre qu'ils entendent au bout du fil. Tout vous énerve.

Vous avez quarante-quatre ans et on vous dit encore mademoiselle. Tout vous énerve.

Quand vous marchez main dans la main avec une femme dans les rues d'une ville moyenne, les piétons vous dévisagent et se retournent sur votre passage. Tout vous énerve.

On vous comprend, on vous soutient, ça ne doit pas être facile, l'homosexualité c'est un vrai problème. Tout vous énerve.

Vous êtes étonnée, vous êtes désarmée, vous ne maîtrisez rien, vous ne contrôlez rien, vous vous passionnez, vous vous énervez, vous vous engagez, vous vous impatientez. Après des décennies de rétention, de contention et de déni de votre part, vous n'avez plus le temps de vous justifier ou d'attendre. Vous lâchez ce que vous avez retenu pendant tant d'années, vous l'exprimez. Vous découvrez la colère. Elle monte en vous. Elle vous accompagne. Elle vous soutient. Elle vous aide. Vous vous appuyez sur elle. Elle vous tient en vie et en éveil.

Dans la boucherie, tout est vachement agréable. Chercher la vache. La porter. Découper. Donner au client. Le client qui revient et qui vous dit que c'était bon. Et acheter le vif, c'est ma passion. J'achète la vache sur pied et le plaisir de choisir le bon produit, de l'avoir à l'étal comme on l'a vu dans le pré, c'est ce que je préfère dans mon métier.

Vous n'êtes pas mécontente de l'apprendre et cette information a même le don de vous rassurer. Il y a autant de satisfaction à reconnaître le mort dans le vivant que le vivant dans le mort.

Le tueur, dans l'abattoir, les gens n'aiment pas, ils trouvent ça ingrat, surtout quand ils sont affectés dans la zone sale. Quand je vois les jeunes qui arrivent, parfois ils restent une demi-journée et ils font demi-tour, c'est un travail physique, pour tuer faut être un homme.

Vous n'êtes pas mécontente de l'apprendre et cette information a même le don de vous amuser. À l'abattoir, ce ne sont pas les femmes qui donnent la mort, ce sont les hommes.

La viande de génisse est plus jeune, donc elle est plus tendre. Quand les vaches font un veau, ça les amaigrit du dos, y a moins de masse musculaire, tout ce qui est faux-filet et filet est un peu moins lourd, c'est moins intéressant. Elles vont être mangées pareil sauf que si on est pointilleux sur le rendement et la qualité, on est mieux avec des bêtes qui n'ont pas vêlé.

Vous n'êtes pas mécontente de l'apprendre et cette information a même le don de vous faire sourire. Les bêtes qui n'ont pas vêlé sont meilleures au goût que les autres.

Je choisis des vaches de trois ans et demi, sinon elles ne sont pas assez mûres, pas assez arrivées. Et moi j'achète que les femelles, les mâles je ne les achète pas parce que en général la viande est plus dure. Les femelles, c'est plus tendre, plus gras et conformé différemment, les parties nobles sont plus importantes.

Vous n'êtes pas mécontente de l'apprendre et cette information a même le don de vous réjouir. Les femelles sont meilleures au goût que les mâles.

Y a des morceaux qui se vendent frais et d'autres qui se vendent rassis. Les morceaux extérieurs se ternissent très vite, le filet, la hampe, il faut les vendre dans les six jours sinon ça sèche. Alors que la côte de bœuf ou le rosbif, on peut les garder quasiment vingt jours. Sauf si vous ouvrez le muscle pour prélever dessus, là il faut le vendre rapidement sinon ça va pourrir. Tant que vous le laissez dans son gras et ses nerfs, le muscle va mûrir, mais il faut faire attention parce que y a un moment où il rassit et y a un moment où il pourrit.

Vous n'êtes pas mécontente de l'apprendre et cette information a même le don de vous réconforter. Il y a une grosse différence entre le rassis et le pourri.

Moi ma façon de faire à moi, elle est ce qu'elle est, je ne dis pas que c'est la meilleure. Mais ce que j'aime, c'est des bêtes nourries essentiellement à l'herbe. J'évite les bêtes qui sont nourries en stabulation avec des granulés, je n'en veux pas. Celle que je vais tuer à Noël, l'éleveur la garde pour moi, elle est très jolie, je vais vous emmener la voir.

Il va vous emmener la voir. Il va vous montrer la bête qu'il va tuer à Noël.

Un bon veau de boucherie, il ne faut surtout pas qu'il coure derrière sa mère dans le pré sinon il va boire du lait et manger de l'herbe. Si on veut une viande blanche et pas une viande rouge, il faut que le veau soit un peu anémié, il doit rester dans un local enfermé et surtout ne pas ruminer.

Vous n'êtes pas mécontente de l'apprendre et cette information a même le don de vous étonner. Une bonne viande n'est pas forcément issue d'une bête courant librement dans les prés et vivant au contact permanent de sa mère. Vous perdez un peu de votre naïveté.

Le camion passe deux fois la semaine et me la ramène coupée en quatre, sinon ça ne serait pas possible de la porter. Si je la mets le lundi à l'abattoir, elle rentre le jeudi. Et une fois qu'elle est au frigo, je peux vendre la langue, la queue, l'extérieur tout de suite, le reste il faut que j'attende, faut que je la laisse cinq jours avant de commencer. Qu'elle se détende.

Vous n'êtes pas mécontente de l'apprendre et cette information a même le don de vous encourager. Pour être comestible, il faut être détendu.

Depuis vingt ans que je fais ce métier, il m'est arrivé une seule fois d'avoir une cliente qui m'a dit la semaine prochaine je ne viendrai pas, parce que c'est ma vache que vous avez prise, je veux pas manger de cette viande-là. En général, les éleveurs qui viennent acheter chez moi, ils aiment bien quand c'est leur propre vache qui est sur l'étal, cette semaine-là ils sont contents et ils en prennent plus pour mettre au congélateur.

Vous n'êtes pas mécontente de l'apprendre et cette information a même le don de vous fortifier. On mange avec plus de plaisir et d'appétit les êtres que l'on aime.

Votre rencontre avec le boucher modifie la vision que vous aviez des contes de fées et du cannibalisme. Vous repensez aux cadavres d'animaux que vous n'avez pas tenus entre vos mains, au jeune homme pendu dans sa chambre, à ceux ou celles que vous n'avez pas su aimer. Vous déverrouillez les portes, vous ouvrez les vannes, vous pleurez moins sur *La Féline* et plus sur vos propres souvenirs. Vous vous réveillez.

Vous choisissez d'entrer dans votre propre corps et de vous y installer à demeure. Vous choisissez de trahir votre mère pour ne pas vous trahir vous-même. Vous vous réveillez.

Vous laissez les images du passé se frayer un chemin dans votre tête. Vous laissez l'émotion vous envahir. Vous n'avez plus besoin d'être reconnue et estimée et adaptée et assimilée et intégrée. Vous trahissez la société sans aucun regret. Vous vous réveillez.

Vous repensez à tous ces films que vous avez vus avec votre mère, à la manière dont vous les reverriez aujourd'hui, à ceux que vous avez vus depuis, aux relations que vous entretenez désormais avec le sexe, la violence et la mort, à l'apprentissage du plaisir, de la colère, de la tristesse et des larmes, aux séparations nécessaires, à ce qu'elles laissent, vous n'avez plus peur, vous n'avez plus honte, vous n'appartenez plus à votre mère, vous n'appartenez plus à votre mari, vous vivez votre vie sauvage tout en restant civilisée, vous parlez, vous frémissez, vous humez, vous léchez, vous mordez, vous caressez, vous mangez de la viande, vous écoutez des bouchers, vous n'êtes pas dégoûtée, vous n'avez pas la nausée, vous riez, vous critiquez, vous compatissez, vous aimez, vous restez aux aguets, vous n'êtes ni protégée, ni désarmée, ni imprégnée, vous ne regrettez pas l'enfance, l'âge d'or, l'origine, la soi-disant innocence, vous ne vous hérissez pas contre la terre entière, le silence n'est pas votre arme de guerre, vous acceptez l'idée que des rennes soient transportés dans des camions réfrigérés, vous ne croyez pas au père Noël, vous ne suivez pas le traîneau, l'âge vous libère.

Mes plus vifs remerciements vont d'abord à David Moinard et à Stéphane Thidet qui, en 2009, m'ont demandé d'écrire un texte pour *Estuaire*, manifestation organisée par le Lieu Unique à Nantes, texte qui fut à l'origine de ce livre.

Merci également à Catherine Tambrun, Francky Lestrade, Gérard Dousseau, Georges Chapouthier, François Lachapelle, Annette, Francis, Patrick et Marie-Line Pesquidoux, Georges Jarry, Fabrice Requier, Rudy Wierdlarski, Dominique Parot-Lafon, Catherine Remy, Fabien Jobard, Philippe Bretelle, Laurent Larivière, Béatrice Mousli-Bennett, Yves Pagès, et Nicole Combezou, sans qui ce livre n'aurait pu voir le jour.

DU MÊME AUTEUR

COLLECTION FOLIO

Dernières parutions

Composition Entrelignes
Impression Novoprint
à Barcelone, le 23 mai 2016
Dépôt légal : mai 2016
1ᵉʳ dépôt légal dans la collection : mai 2012

ISBN 978-2-07-044755-8./Imprimé en Espagne.